Валерий Рогожнико

СВЕТ НА ДНЕ КОЛОДЦА

РАССКАЗЫ И СКАЗКИ

– 2020 –

Valeriy Rogozhnikov
LIGHT AT THE BOTTOM OF THE PIT. Stories and tales.

Рогожников Валерий Янович
СВЕТ НА ДНЕ КОЛОДЦА. Рассказы и сказки.

Спонсор выпуска – **Ольга Лукьянчук**
Компьютерная поддержка – **Людмила Лукьянчук**

Художественное издание

Для широкого круга читателей

Посвящаю моей незабвенной сестричке, редактору и издателю моих книг ***Анне Агнич****.*

Сборник рассказов и сказок мы задумали вместе и решили, что жизнь прекрасна,
жить стоит и будем жить. Вот я и живу.
Для себя, для семьи, для вас. Пока.

ОГЛАВЛЕНИЕ

ЧАСТЬ III

ЧАСТЬ I

ПЯТЬ ГРУСТНЫХ СКАЗОК ПЕЩЕРНОГО ДЕДУШКИ

Никогда бы не подумал, что запишу эти сказки. Приходилось, конечно, по ходу путешествий выдавать что-либо этакое... романтическое... Чтобы глаза молоденькой соратницы по спелеологическим приключениям засияли нежными алмазиками. Полезно для дела иногда на скорую руку придумать какую-нибудь небылицу для снятия синдрома длительного ожидания или просто из свойственной мне некоторой шкодливости.

Но вот пришло время подвести итоги. Необходимость записать кое-что из придуманного стала долгом перед моими воспитанниками и перед самим собой, блуждающим в тумане воспоминаний.

Навык портить бумагу выработан во мне профессией. Если поставить в одну стопку написанные мной геологические отчеты, то получится сооружение высотой с приличный дом. Это обстоятельство портит мой литературный стиль. Стоит только вымарать что-то канцелярское в одной строке, как такое же чудо обнаруживается в другой. Я долго боролся с канцеляритами, пока не понял, что это бесполезно, и записываю свои фантазии на смеси трех языков, которыми владею: геологического, спелеологического и романтического.

Учитывая возможность того, что мои сказки могут попасться на глаза несовершеннолетним и дамам, крепкие выражения, свойственные спелеологическому фольклору, в предлагаемые записки допущены не были, хотя очень слезно просились.

Неразрывность моей профессии со спелеологическими увлечениями и литературными опытами выразилась в том, что сказки представляются читателю в виде беспорядочного салатика, где всего понемногу – воспоминаний, размышлений и сказочных сюжетов. Читайте, как получилось. Лучше все равно не могу.

Простите старенького, что сказки получились грустными. А жизнь, какая?

1. СКАЗКА О МАЛЕНЬКОМ БРОНЗОВОМ КОЛЕЧКЕ И ПОСЛЕДНЕЙ ПЕСНЕ

Прочно закрепившись в распоре над мутноватым пещерным ручейком, я огромным ножом точу карандаш и пространно разглагольствую, не давая уснуть моему уставшему товарищу:

– Сеня, тебе плохо? Хорошо? Тогда не переворачивай компас вверх ногами, когда меряешь азимут. И не тряси ты его, ничего хорошего из него не выпадет. Это руки сами трясутся? А ты вообрази, что находишься на пляже и вода в Днепре плюс двадцать. Трудно представить, что такое бывает? Согласен, но надо, иначе ты не перестанешь мерзнуть и не дашь мне приличный азимут, а я скажу тебе непримиримые горькие слова.

На двадцатом часу работы топографическая съемка идет через пень-колоду. Давно пора бросить все и рвануть на поверхность, но осталась сделать десяток замеров, а возвращаться завтра в эти плохо проходимые, мокрые, грязные щели мне совсем неохота. Да и Сеню сюда второй раз не заманишь.

Вылизываю грязные очки языком, водружаю их на нос и осматриваюсь вокруг. Теперь лучше видать? Зарисовываю в пластиковую книжку продольные и поперечные разрезы хода, на глазок определяю и записываю расход ручья. Спрашиваю Сеню, который ухитрился задремать:

– Каков азимут по длинной оси хода, юноша?

Сеня вздрагивает и выдает что-то совсем несуразное:

– Триста восемьдесят градусов, Иваныч.

– Сеня, родной, так не бывает! Всей шкалы на компасе триста шестьдесят!

– Сто восемьдесят, – исправляется Сеня.

– Это уже больше похоже на истину, но не совсем то. Посмотри еще раз.

– Двести восемьдесят?

– Угадал, родной! Ход действительно поворачивает к западу. Протри стекло на компасе и отдохни пару минут, пока я немного порисую. Только подстели рукавицы под задницу, а то быстро остынешь. Хочешь, расскажу про снежного человека? Конечно, встречал! Как сейчас помню. Под Пенджикентом. Лежу в спальном мешке, а ноги по привычке выставил наружу, так меньше потеют. Лежу и звезды считаю, чтобы уснуть поскорее. Благо, дыр в палатке хватает. Вдруг чувствую, как чья-то огромная волосатая рука щекочет мне пятки. Ты даже не представляешь, сколько мне пришлось потратить сил, чтобы не рассмеяться. Утром дежурные на моих пятках обнаружили следы пришельца. Не веришь? А зря! Иваныч никогда не врет. Выползем наверх – покажу пятки!

Зарисовав условными знаками скудные достопримечательности нашего хода с лихим названием Чикагская Канализация и вдоволь потрепавшись, чтобы дать собраться с мужеством Сене, объявляю подъем.

– Ну что, Сеня, отдохнул? Тогда поплыли на выход.

Сеня встал, тоскливо оглянулся, мерзко вздрогнул, лег в глинистую жижу и заполз под низко нависающий свод Клоаки. Что-то булькнуло, шмякнуло, страшно ругнулось, и Сенины ноги в огромных резиновых сапогах, подергавшись в воздухе над грязной водой, исчезли в ней. Прошел, счастливчик! Теперь моя очередь.

– «Какая гадость эта ваша заливная рыба», – мысленно цитирую классику и как можно скорее, чтобы не растягивать «удовольствие», просачиваюсь сквозь грязевой сифон вслед за Сеней. Здесь ощутимо шире и суше.

Где Сеня? Куда он делся!? А, вот он! Чешет затылок сквозь каску и рассматривает какой-то симпатичный выступ. Похоже, что Сеня с разгона не вписался в поворот и задел это чудо природы головой. Бывает. Даю Сене пару не очень остроумных советов, разыскиваю телефонный кабель, закрепленный на стене ближе к потолку, и выхожу на связь с базовым лагерем:

– Земля, Земля, я Недра-3. На связи Иваныч, Сеня говорить не может, он занят. Он зубами щелкает. Мы на трехсотом метре у выхода из Клоаки. Сейчас домой пойдем. Что там на ужин? Скоро завтрак? Похоже, что мы с Сеней несколько увлеклись. А чем сегодня будут кормить? Манная каша с вареньем? А можно нам с Сеней выделить по кусочку сала как жестоко пострадавшим от пещер? Я заслужил. Сеня тоже. Он головой кивает. Странно как-то кивает. Отбой связи. У нас проблемы.

– Сеня, проснись и встань с этого камня, он держится только моими молитвами. Под камнем очень глубокий колодец. Лететь секунд шесть, потом тебя придется слить в канистру. Поднять-то мы тебя поднимем, но в институт тебя в таком виде не пустят, и ты пропустишь сессию. Давай лучше перестанем мерзнуть и начнем потеть. Становись, парень, около этой веревки, цепляй свои самохваты и жми наверх к солнцу! Там очень много солнца, Сеня! На сто двадцатом метре стоит открытая банка с халвой. Не проскочи мимо!

Чем заняться, пока Сеня кувыркается в сыпучем колодце? Можно помечтать о тарелке горячего украинского борща, но есть риск захлебнуться слюной. Хорошо бы заняться сменой батарей в запасном блоке, но фара еще светит белым светом – значит менять батареи рано. Или протелепатировать Сене, что я думаю о нем – так он и сам знает. Петь что-то боевое из альпинистско-спелеологического репертуара тоже не стоит. Мои вокальные данные действуют на нервы даже мне. Да и надо прислушиваться, чем там занимается Сеня

Поскольку наиболее интересные варианты времяпровождения отпали, придется заняться аутогенным редактированием сказок.

Мысленно устраиваюсь поудобней перед воображаемым компьютером, вхожу в Фотон, разыскиваю ORDER III и начинаю одним пальцем ковыряться в клавиатуре:

– Люди рассказывают, что когда-то горы были столь высоки, что их вершины мешали Солнцу обегать Землю, а моря были так глубоки, что даже на их шельфе хватило бы места для самых высоких гор. У молодежи тех времен был замечательный обычай: каждой весной, как только крокусы выбрасывали в белесое небо свой сиреневый цвет, самые смелые и сильные юноши отправлялись высоко в горы, чтобы в бездонных пропастях и черных пещерах найти путь к центру Земли. Они свято верили, что там, в огромном зале, на диком камне, растет замечательный цветок – Сердце Земли. Взглянуть на этот цветок и спеть победную песню – было заветной мечтой богатырей.

Сверху посыпался мелкий щебень. Прячусь в щель – и вовремя. С какого-то уступа Сеня спускает камень килограмм на семь, и тот, пролетев метров пятнадцать, с сухим треском взрывается совсем рядом. Запахло серой и почему-то чесноком. В щели я в относительной безопасности, но за шиворот капает вода. И снизу из трещины поддувает. Холодновато.

Вот и этой весной, скинувшись по стипендии, сотня дерзких и красивых парней ушла в горы. С ними была и героиня нашей сказки – замечательная девушка, достоинства которой были столь разнообразны и велики, что даже в нашем сказочном лексиконе не хватает слов для их описания. Может быть, у нее и было имя, которым назвали девушку при рождении родители, но парни ее звали Белкой и очень любили.

Отряд быстро углублялся в горы и, наконец, достиг тех мест, где еще не был ни один из разведчиков их племени. Парни разбили шатры, приготовили нехитрую снедь, поужинали и уснули глубоким сном. Только Белка не могла уснуть. Предчувствие большого приключения тревожило ее, и девушка, нарушив все писаные и неписаные законы племени, ушла в ночные горы одна.

Белка шла, не ведая страха, по освещенной луной тропе и верила, что именно сейчас, в этих заросших вековым лесом горах ее ждет невероятная удача. Так оно и получилось!

Из-под огромной замшелой известняковой глыбы по ногам полоснуло холодным пещерным ветром. Белка подобрала ветку попрочней, вставила в щель и сдвинула камень в сторону (крепкая была девушка). Открылся узкий пещерный проход. Девушка зажгла фонарь и, низко пригнувшись, вошла. Ход становился все выше и выше, и вдруг – за крутым поворотом открылся огромный зал, из которого в разные стороны разбегались мраморные стены гигантской пещеры.

Белка шла по усыпанным пещерным жемчугом галереям и плакала от счастья. Девушка бережно гладила оранжевые, поросшие зеркальными кристаллами сталактиты. Любовалась просвечивающимися насквозь голубыми спиралями арагонитовых камелий, растущих на белоснежных кальцитовых гроздьях. Потеряв счет времени, смотрела сквозь бирюзовую толщу воды пещерных озер на игру золотых рыбок в бликах отраженного света. Пещерный ветер шептал ей свои замечательные, полные ласковой неги стихи.

Но у маленькой квадратной батарейки только одна очень короткая жизнь – и, когда пришел срок, свет фонаря стал тускнеть. Белка повернула к выходу, но было поздно – выход из Пещеры оказался слишком далеко.

Когда фонарь погас, Белка не приняла безнадежности. Если человек молод, силен и красив, несчастья далеки, а вера в них ничтожна. Белка нащупала в темноте камень, присела, распустила косу и, перебирая невидимые пряди, запела. Она пела для Пещеры, пела позабыв обо всем, и эхо белоснежных стен вторило ей. Девушка знала, что Пещера не даст ей погибнуть. Тем более, что мы добрались только до середины сказки.

Вынимаю из непромокаемого резинового мешка сигареты, зажигалку и с третьей попытки закуриваю. Зажигалка барахлит – наверное, кремень отсырел.

Спрашиваю Сеню, как дела. Говорит, что все хорошо, только самохваты на грязной веревке по глине слегка проскальзывают. Ничего. Это дело обычное.

В этой пещере жило довольно мрачное, неуклюжее, одинокое существо и оно притаилось за ближайшим поворотом. Многие века Хозяин следил за порядком в бесконечных подземных лабиринтах, и появление Белки в Пещере вначале было принято, мягко говоря, с неудовольствием. Эта новая раса человекообразных была слишком шумная, эгоистичная и беспечная. Поэтому, когда фонарь девушки погас, Хозяин решил оставить неосторожную наедине с её судьбой. Жители подземелий не любят вмешиваться в жизнь не видящих в темноте. Пусть идут своей дорогой к мудрости.

Хозяин совсем уже было собрался уйти по своим пещерным делам, но его остановила песня. Очарование нежного девичьего голоса заколдовало его, и по сердцу, иссушенному столетиями одиночества, скользнула горячая слеза жалости.

Влекомый неведомыми чарами Хозяин вышел из своего укрытия, подошел к человеческому существу и, робея, коснулся его плеча. Белка не испугалась ни внезапного прикосновения, ни огромных светящихся в кромешной темноте глаз. Девушка нежно провела рукой по жесткой шерсти Хозяина и, вздохнув, поведала о своих бедах. Многовековый жизненный опыт определяет грустный обычай принимать решения только после долгих размышлений, но в этот раз Хозяин не посмел медлить, протянул Белке маленькую корявую руку и повел девушку к выходу.

Пещерное существо никогда не решится выйти на поверхность земли при дневном свете – лучи солнца мгновенно сожгут его очень чувствительные глаза. Поэтому Хозяин довел Белку только к последнему повороту, до той черты, которой достигал слабый отблеск раннего утра.

Белка метнулась к выходу, но вдруг остановилась в смущении, вернулась на границу света и тьмы, наклонилась к Хозяину, поцеловала его в небритую морщинистую щеку и вложила в ладонь маленькое бронзовое колечко.

Лагерь еще спал, когда девушка вернулась. Звонким радостным смехом и брызгами ледяной воды из берестяного ковша Белка разбудила сонь и, захлебываясь от восторга, рассказала о своем сказочно удачном приключении. Начался праздничный переполох. Наскоро перекусив, парни натянули оранжевые комбинезоны, нахлобучили белые каски с яркими фонарями, уложили в контейнеры веревки, скальные крючья и запас продуктов, сообщили по рации на базу о находке Белки и торопливо устремились к пещере, чтобы всем вместе разделить замечательное торжество первопрохождения.

Пока мы молоды, красивы и сильны, преград не существует. Разведчики глубин прошли самые потаенные уголки Пещеры, проплыли по всем рекам и озерам, спустились в провалы и колодцы, соединяющие этажи между собой причудливым вертикальным лабиринтом, поднялись по взлетающим сквозь кровлю залов каминам, составили подробные карты, сняли замечательный цветной телефильм о своих приключениях и через три недели вернулись домой, исхудавшие, но полные радости и желания поделиться удачей.

И хлынули в пещеру любители необычного, любители прекрасного, любители острых ощущений и всего, что плохо лежит.

Прошел год. Нехороший это был год для Хозяина. Последний раз идет он по своей Пещере, переступая через мерзко пахнущие окурки. Чудесные натечные драпировки из розовых сталактитов разбиты вандалами, арагонитовые кристаллы и пещерный жемчуг разграблены, копоть от самодельных факелов грязными лохмотьями свисает с потолков. В подземной реке дребезжат ржавыми крышками пустые консервные банки и чернеют гниющие объедки.

СЕГОДНЯ УМЕРЛА ПОСЛЕДНЯЯ ЛЕТУЧАЯ МЫШЬ.

Хозяин завернул несчастное животное в тряпицу, спрятал за пазуху и, не оборачиваясь, ушел в стылую дождливую мглу черной ночи.

Покидают скалы человечки.
Отойди за угол и замри.
Время утекает в бесконечность.
Час всего до утренней зари.
Горсть земли в коротенькой ручонке,
По камням дождем прошла роса,
Покидают скалы обреченные
И идут, куда глядят глаза.
Посмотри на надписи на сводах…
Гром консервных банок в водах рек,
Шрамы в стенах белоснежных гротов,
Грубый, пьяный, непотребный смех…

Очень захотелось есть. Наверное, от безделья. Достаю из-под каски пол плитки шоколада и съедаю, аккуратно отламывая по квадратику. После шоколада захотелось пить. Пристраиваюсь к сталактиту почище и пытаюсь напиться теми каплями воды, которые по нему стекают. Дурацкое это занятие, но пить из лужи не решаюсь. А вдруг Сеня здесь облегчился, меня ожидая?

Победитель ненасытен. Ему всегда мало почестей, славы и добычи. Наши герои тоже не исключение. И вот вновь пакуются рюкзаки, закупаются продукты, планируются маршруты в неведомое завтра. И, конечно же, Белка с ними!

Очень удачливая девочка Белка. Ей опять повезло. Она нашла такую Пещеру, существование которой не могли предсказать самые мудрые из тысяч мудрых.

Это были подземные дворцы волшебной красоты: стены из резного малахита, потолки искрометного беломорита, полы отсыпаны крупным золотым песком, алмазные и рубиновые друзы горят таинственным опасным светом на берилловых колоннах.

Но ведь у маленькой квадратной батарейки только одна очень короткая жизнь! И вот фонарь погас. Девушка не испугалась. Белка еще не научилась тревожиться ни за себя, ни за других. Зато она замечательно умела петь. И Белка запела!

У нее и на этот раз был слушатель. Совсем рядом, за ближайшим углом таилось нелепое, старое чудовище с огромными грустными светящимися глазами. Девушка пела долго, очень долго. Хозяин пещеры дослушал её песни до конца и ушел в темноту. А на том месте, где ожидало смерти девушки немилосердное существо, осталось лежать маленькое бронзовое колечко.

Ух ты! Ну и жуткая получилась сказочка! Надо бы смягчить акценты, но откуда-то сверху донеслось Сенино:

– Иваныч! Эва! Веревка свободна! Ухожу дальше! Буду ждать на дне «Стотридцатки» около халвы!

Значит Сеня прошел Сыпучий колодец. Теперь можно и разогреться, а то совсем холодно стало – ишь, какие ужасы в голову приходят.

Так, как там пещерным монстрам положено? Вперед и вверх! И, желательно, без приключений.

2. СКАЗКА О ПУТЕВОДНОЙ ЗВЕЗДЕ И БОЛЬШОЙ ДОРОГЕ

Описываемые события относятся к тем временам, когда деньги на путешествия можно было добыть у профсоюзных дядь, если хорошо постараться и немного поунижаться. Но, к сожалению, и это не всегда помогало.

Телефонный звонок Длинного огорчил меня весьма основательно:

– Иваныч? Привет! Говорит Виктор Костенко. Хочу тебе сообщить, что с Чемпионатом Союза мы на этот раз пролетели. Эти московские... Мать их... Прикинули, что медали им даже бронзовые не светят, и отменили чемпионат. Хозяин-барин! Пусть засунут эти свои медали себе в... Но отменять чемпионат за две недели до выезда, когда билеты уже на руках, продукты куплены, веревки со всей Украины собраны, а деньги в Совете по туризму еще не получены – подлость. Телекс сегодня утром пришел: нам закрыли финансирование. Ситуация ясна?

– Куда уж ясней. И что же мы будем теперь делать?

– Мы решили ехать без дотации. За свой счет. Ты участвуешь?

– Ты же знаешь, что участвую!

– Знаю – не знаю. Уже четверо отказалось. Ну, пока. Мне еще звонить и звонить.

Отечественному инженеру спуститься в глубочайшую пещеру Союза на отметку -1500 метров за свой счет – все равно, что заирскому дворнику провести отпуск в Швейцарских Альпах. Значит и в этом году обойдемся без теплого пальто. Не привыкать. Перебегаю зиму в спас-отрядовской пуховке. Людмила, конечно, будет ворчать. Поворчит немного и отпустит.

Когда в прошлом году в Украинской спелеокомиссии решали, кому идти в карстовую систему Пантюхинскую на полуторакилометровую глубину, определился двойной состав. Дело стоящее. Рекорд Союза по классу глубинных пещер практически в кармане, а если подсуетиться, то и на мировой рекорд можно замахнуться. Предстоял конкурсный отбор, но телекс из Москвы все предельно упростил, и у подножья Бзыбского хребта в поселке

Джирхва, где стартовала экспедиция, собралось всего восемь человек, а это в два раза меньше, чем надо бы.

Можно написать отдельный рассказ с драматическим сюжетом о том, как мы трое суток челночили, таская снаряжение и продукты к пещере. За рубежом для таких целей используют вертолеты или лошадей. Отдельно стоило бы рассказать, где и какими путями доставались продукты и веревки. Но тогда это был бы полноценный роман. А бумагу где взять?

Когда весь состав экспедиции, кряхтя от натуги, вместе с грузом добрался в урочище Аббас, оказалось, что на нашей поляне уже поставил свою палатку «патриархер» советской спелеологии Гена Пантюхин. «Хозяин» пещеры Гена, несмотря на свои года, в хорошей форме, только волосы поседели и переползли с головы на спину и грудь. Приветствует нас Гена коротко и сразу начинает распределять работу.

– Дров заготовить, палатки поставить, воду принести и поторапливаться!

Этим летом сложности особенные. Когда пещера переваливает за километровую глубинную отметку и есть перспектива дальнейшего прохождения, спелеологи начинают от энтузиазма «рыть копытами», и около пещеры выстраивается очередь за рекордом.

Июль и август – наиболее удобные месяцы для штурмов. Бывало, выползаешь из пещеры полуживой, а твое место на пещерных трассах норовит занять следующий искатель приключений. Увещевания старых и мудрых, что мол, всем хватит места под землей, звучат двусмысленно и действуют мало.

День перед штурмом всегда полон забот. Например, нужно решить, что делать со спусковыми устройствами по тросу, изготовленными для нас в Харькове. Остаётся разве что повесить на стену между фамильными фотографиями и показывать внуку, какими мы были в их года могучими? Таскаться по пещере с этой зализякой нельзя – поскольку вид, размеры и вес ее внушают ужас.

Кроме того, веревки у нас разных диаметров, разной сохранности и никто не знает, как их использовали в течении бурной и, очевидно, долгой жизни.

– На безрыбье и рак рыба, а на таких шнурках и повеситься можно, – резонно рассудил Длинный и стал гадать, на каком колодце какую веревку использовать.

У меня свои заботы: я пакую мешки со «жрачкой». В одном лавсановом мешке продуктов помещается на три дня, всего получается на четверых четыре мешка по десять килограммов. Вроде немного, но если сюда добавить палатку, спальный мешок, запас карбида, веревки, скальное снаряжение, фотоаппаратуру и аптечку...

– Старик! Зачем тебе все это надо? Каждый год! Двадцать пять лет подряд!

Искать ответ у самого себя бесполезно. Уже пробовал.

В день выхода мы собрались быстро – народ бывалый. Готовы были с вечера, оставалось только погрузить мешки на станки и вытащить их ко входу в пещеру. По узкой тропе, вытоптанной в борщевике, и вдоль телефонного кабеля, подвешенного на шестах, чтобы козы оплетку не сжевали, выбираемся к пещере. На скале около входа шлямбурными крючьями прибита мемориальная доска в честь Славы Пантюхина, погибшего несколько лет тому назад. Мы прибили её вчера на закате около пещеры, названной младшим братом в честь старшего. Наши мертвые с нами, и мы идем по тропам, проложенными ими.

Штурмовая четверка у нас получилась довольно пестрой. Самый, без сомнения, шумный – это харьковчанин Юра Краснобрыжий. В кругу друзей он носит прозвище Хобот, по профессии сварщик, в группе он единственный представитель рабочего класса, чем очень гордится. Физически Юра очень силен, но нетерпелив и выражений в экстремальных условиях не выбирает.

Киевлянин Паша Костюк – интеллигент в душе, «совок» по воспитанию и отъявленный культурист. Паша – романтик, грешит стихами, играет на гитаре и обожает бесхозные альпинистские карабины, собирая их где попало. Иногда прямо из-под хозяев. Я Паше симпатизирую.

Больше всех мне приятен в нашей группе Саша Медведев из Львова. Имени его никто не помнит, поскольку все зовут Медведем, и ему это явно нравится. По профессии биолог; Медведь с удовольствием просвещает нас во все тайны функционирования человеческого организма, не забывая при этом самые интимные подробности. За его веселым балагурством и «интеллигентным» хамством скрывается въедливый аналитический ум, недюжинный педагогический талант и готовность прийти на помощь в любую минуту.

Ну, а меня вы и так знаете. По возрасту в нашей группе я самый старый, поэтому физически часто проигрываю, но зато отличаюсь повышенной устойчивостью к холоду и всяким другим неприятностям, а опыт профессионального путешественника позволяет мне быть полезным в самых неожиданных и сложных ситуациях.

Длинный (в миру Виктор Костенко) озадачил нас транспортировкой продуктов для лагеря -1100 м и -1300 м. Кроме того, мы должны заниматься геологическими наблюдениями и фотографированием с -1300 м до -1500 м, а на обратной дороге нам запланировано вытаскивать поэтапно снаряжение, которое будет подбрасывать группа, идущая за нами. «Этот расклад, – мыслил Длинный, – не позволит им (значит, нам) жиреть в подземных лагерях».

До шестисотого метра мы добрались еще достаточно свежими и полусухими всего за девять часов. Останавливались только один раз на пятисотом метре, чтобы перекусить горячим какао, сухой колбасой и печеньем. Обогнали свой прошлогодний график часа на три – сказались схоженность группы и еще не подорванные штурмом силы.

Лагерь -600 м расположен в малюсеньком гроте, образовавшемся на расширении длинного наклонного хода, названном первооткрывателями «Путь к коммунизму». Место для лагеря просто замечательное. На ровной глинистой площадке палатку ставить одно удовольствие: есть очень удобное место для кухни и раздевалки, в туалет можно добраться без риска для жизни, а самое главное достоинство лагеря – тишина. Именно её нам не будет хватать в лагерях -1100 м и -1300 м. Там рев водопадов заставляет переходить с нормального разговора на крик, а выход из лагеря далее чем на два метра, по какой либо надобности, требует применения скалолазных навыков.

Когда мы весело и шумно притопали в лагерь -600 м, нас встретило недовольное ворчание Саши Бучного. Он со своей группой, оказывается, намедни пришел слишком поздно, а мы явились слишком рано. Теперь, чтобы освободить нам место, команде Бучного придется раньше времени выползать из теплого спального мешка и завинчиваться в «Путь к коммунизму» – самое грязное и неприятное мероприятие в штурме. Это такое место, где я прохожу, только раздевшись до трусов. Да и то, потом на спине и груди столько царапин, как будто на тебе дралась стая бешеных котов.

В нашей группе приготовлением пищи обычно занимаюсь я, поскольку у меня хорошо получается. Кроме того, я люблю вкусно поесть. Нашу штурмовую группу моя готовка вполне устраивала, и споров на тему «кто сегодня дежурит» у нас не было.

И еще одна тонкость. Одежда спелеолога – комбинезон из прорезиненной ткани, комбинезон из синтетической ваты (так называемый изотермик) и тонкое шерстяное белье. В особо суровых условиях водопадов и затопленных участков пещер одежда дополняется гидрокостюмом из тонкой резины, который надевают между изотермиком и «комбезом». Все это при ползании по пещере пропитывается потом и увлажняется через неизбежные дыры. В пещерном лагере резиновые доспехи снимаются, и спелеолог остается во влажном изотермике, которому еще сохнуть и сохнуть на теле до комфортного состояния. Другим способом его под землей не высушишь. Так вот, пока возишься с примусами, процесс высыхания одежды происходит быстрее и комфортнее, чем у более ленивых товарищей по группе.

В этот раз готовлю сразу на две группы. Для них это завтрак, для нас – ужин, но, тем не менее, гречневая каша с тушенкой и луком пошла на ура, а индийский чай со сладостями привёл нас в совершенно благодушное настроение. После хилого меню в наземном лагере подземный паек пока не приелся и проходит на отлично.

Ужинаем шумно, с шутками и аппетитом. Провожаем штурмовиков Бучного на славный спелеологический подвиг, заползаем в палатку и в предвкушении сладкой неги размещаемся в групповом спальном мешке. Это на десятые сутки штурма самой сложной в те времена вертикальной пещеры мира мы будем засыпать в колодцах прямо на уступах, а пока все полны здоровья, и мы можем разрешить себе «потрекать» перед сном о тех или иных проблемах. С энтузиазмом перемыв косточки группе Бучного и слегла похвалив себя, мы сталкиваемся с кризисом тем для разговоров, и Хобот настоятельно требует:

– Иваныч, сбреши что-нибудь занятное, у тебя это лихо получается.

– И вправду, Валера, – подключается к теме Паша, – лучшего времени и обстановки для сочинительства в ближайшее время не случится. Через пару дней нам будет не до фантазий.

– Выдай им, Иваныч, сказку такую, – бурчит Медведь, – чтобы Хобот ночью не храпел, а Паша меньше ел колбасы.

Вдруг зашелестела мембрана телефона и с поверхности донесся мелодичный голосок дежурной на связи:

– Только, пожалуйста, погромче, Иваныч. Я тоже хочу послушать.

– Допустим, уговорили, – соглашаюсь я, польщенный таким вниманием к моим фантазийным способностям, – только в Гаграх с каждого по кружке пива, поскольку у нас в стране каждый труд должен быть вознагражден по достоинству.

Заручившись согласием слушателей на стимулирование своего творчества, начинаю выдумывать сказку и излагать слегка завывающим голосом.

Давным-давно, когда земля была плоская, как блин, в большом торговом городе, в могучем укрепленном замке жил славный король – правитель богатой и счастливой страны. И пусть в том городе жителей было полторы, от силы две тысячи, и замок был высотой всего в три этажа, а государство можно было объехать лошадью за один день, для тех времен наш король считался человеком весьма почтенным и пользовался всеобщим уважением.

И была у короля дочь единственная, в которой он души не чаял. Девица была очень подвижной особой лет двенадцати, а звали её Ледой. Девочка росла любознательной непоседой, хорошо ездила верхом, любила охоту с дротиком и неплохо владела арбалетом. Кроме вышеперечисленных достоинств, принцесса слыла образованной, поскольку могла без особых затруднений прочитать пару страниц из «Истории Великого Серединного королевства» и умела считать до ста.

Девочка соответствовала существовавшим в те времена понятиям о хорошем воспитании, если бы не одна блажь. В самый разгар игр она могла бросить подруг, подняться на надвратную башню и часами смотреть на большую проезжую дорогу, пыльной лентой убегающую к горизонту из широких, кованных огромными шипами ворот. По дороге ярко и непривычно одетые заморские купцы вели двугорбых чудовищ в изукрашенных серебром сбруях, гремели колесами телеги окрестных земледельцев и брели пыльные, оборванные пешеходы туда, где земля соединялась с небом. Дорога манила девочку своей красочностью, непостоянством и волшебством лукавых превращений.

Однажды, собравшись с духом, девочка спустилась в подвал замка, где занимался поисками философского камня старый астролог, совмещавший в замке свои ученые занятия с врачеванием и обучением королевских отпрысков.

– Учитель, – спросила старика девочка, робея от своей смелости, – куда ведет большая дорога, проходящая через наш город? Где она кончается? Что прячется за той чертой, которая разделяет небо и землю?

Ученый оторвался от своих занятий с великим трудом, но увидев горящие любопытством глаза, стал более доброжелательным и по приставной лестнице полез на антресоли за нужной книгой. Огромный фолиант нашелся не сразу, кроме того, понадобилось время, чтобы спустить его вниз, стереть вековую пыль, разложить на специальной подставке и разыскать интересующие девочку сведения.

С трудом разбирая древний шрифт, водя пальцем по строкам и беззвучно шевеля губами, старый учитель прочел написанное в книге и обратил свой взор к любознательному ребенку:

– Если верить этому уважаемому источнику знаний, дорога, которая Вас интересует, ведет через три по девять царств и столько же государств никуда не сворачивая, прямо к краю Земли. Авторы утверждают, что в тех местах они наблюдали трех слонов, на которых Земля держится. А слоны те стоят на огромном ките, плавающем в бесконечном бурном океане. Принципиальных возражений эта концепция не вызывает, но лично я полагаю, что трех слонов для удержания Земли будет маловато. По моим расчетам, их должно быть не меньше шести.

Ответив девочке со всей возможной для того времени полнотой, ученый погладил Леду по белокурой головке, закрыл книгу, в которой хранились все географические знания тех далеких времен и опять углубился в свои мысли.

Выслушав уважаемого учителя, принцесса поднялась на надвратную башню, устроилась между зубцов стены на своем любимом месте и, вглядываясь в даль, задумалась. Рассказанное астрологом не вызывало сомнений, но девочке очень хотелось самой посмотреть, что там есть за той загадочной чертой, которая отделяет землю от неба.

– Ну и силен ты, Иваныч, трындеть. Заткнись на минуту! – проворчал Медведь, высунулся из-под полога палатки, нашел где-то чужие сигареты и закурил. К нему присоединился Хобот. Что-то недовольно пробурчал некурящий Паша.

– Можешь продолжать, – милостиво разрешил Медведь.

– И я продолжил...

Шли годы. Однажды ушел на очередную справедливую и священную войну отец и вернулся весь израненный, чтобы умереть в родном замке. Принцесса вынуждена была выйти замуж, но её супруг оказался столь доблестным воином, что, сотворив жене сына, не задержался на этом свете. В ближайшем сражении воин сделал королеву вдовой, оставив ей разрушенное хозяйство и вконец расстроенные финансы.

Леде пришлось приложить немало сил, чтобы восстановить все, что было, возможно и вырастить сына – двадцатилетнего балбеса, рыцаря без страха и упрека (Господи! Весь в папочку!).

Пользуясь всеобщим уважением и любовью, королева казалась счастливой. Время, не спеша вело к безмятежной старости.

Но однажды... Однажды королева Леда собрала всех своих самых мужественных вассалов и заявила:

– Герои! Я отдала свой долг своей стране: сделала её богатой и счастливой, родила принца и воспитала вам короля. Теперь я имею право подумать и о себе. Видите эту дорогу? Где-то там, за три по девять царств и столько же государств, эта дорога приводит к краю Земли. Я хочу посмотреть, что там. За ним. За этим краем. Кто пойдет со мной?

– Мы все пойдем, – взревели рыцари – отъявленные путешественники и великие бродяги, скучавшие без приключений. Веди нас, о Великая! Мы жизни не пожалеем для тебя!

Глаза королевы увлажнились слезами благодарности, и Леда дала команду готовиться к походу.

Что-то забулькало в телефонной трубке. Я замолк, и все в палатке тоже прислушались. Бучный докладывал Длинному, что на восьмисотом метре выпала из мешка, упала в колодец и развалилась банка с карбидом. Вонь стоит несусветная. Топлива для светильников теперь на обратную дорогу не хватит – просил притащить с вспомогательной группой. Хобот взял трубку и просипел, что у них есть запасная банка, могут поделиться. И, если им хватит карбида до дна и обратно на шестисотый, то все будет в порядке. Бучный сообщил, что должно хватить.

Весело перекрикиваясь, воины оседлали коней, запаслись провиантом, а также деньгами у своих дам, и двинулись в дальний путь.

Никто из них не знал, насколько этот путь окажется далек. В те времена некому было поведать, что Земля – это огромная, сплющенная с полюсов груша, что большая часть поверхности Земли покрыта бескрайними океанами, огромными горами и безводными пустынями. Им на собственной шкуре предстояло узнать, сколь мал человек и как беззащитен перед лицом бесконечности.

Год шел за годом, но упрямая королева, потерявшая счет пройденным городам, все шла и шла к заветной мечте. Отряд становился все меньше и меньше. Одни погибали в схватках, другие, отчаявшись добраться до цели, исчезали, прихватив, что поценнее.

И вот однажды сырым ненастным утром королева проснулась под стогом сена совершенно одна. Последний, самый верный рыцарь, оседлав последнего коня и прихватив последнюю краюху хлеба, оставшуюся от вчерашнего ужина, исчез в предутреннем тумане. Он потерял надежду отговорить безумную женщину от её планов.

Леда ожидала от себя отчаяния, но этого не случилось. И даже легкая грусть о покинувших её друзьях не смутила её душу, так было ярко чувство облегчения (ведь ни о ком не надо беспокоиться и все зависит от тебя самой!).

Королева рассмеялась – её радовала мысль о безмятежности предстоящей жизни, и она весело потопала по бесконечной дороге, ведущей в никуда

Что-то наша сказка стала слишком похожа на жизнь. Надо срочно вернуть её в свое русло! Ведь Земля-то в нашей сказке плоская, и королева Леда обязана дойти до её края. Именно это и свершилось в тот день, когда от нее сбежал последний рыцарь.

Королева подошла к черте, отделяющей землю от неба, и встала на колени. Обязательно надо посмотреть, что скрывается по ту сторону горизонта. Пряный запах полыни остро защекотал в носу, руки утонули в золотистой пыли, женщина наклонилась – ничего не видать; еще ниже – и…

Хрупкий, источенный дождями и корнями трав край Земли не выдержал и обломился. Леда отпрянула, но не удержалась – и полетела прямо в небо! Загорелась там яркой звездочкой!..

Последнее, что увидела она в своей земной жизни, это была дорога.

Да! Да! По другую сторону Земли неизвестно куда стремительно уходила широкая пыльная дорога. Ровная, как древко копья.

С тех времен прошло столько лет, что звезды над нашей Землей трижды поменялись друг с другом местами, многие из них погасли, появились новые, но бродячие рыцари, искатели сокровищ и путешествующие фантазеры, часто сами того не ведая, идут за ней, за вечной звездой дальних странствий.

Это и наша с вами звезда.

Сказка кончилась, тормошу друзей:

– Паша, ты не спишь? Хобот, Медведь? Земля, Земля, я Недра-600, как слышишь меня? Прием.

Спят. Все давно спят.

3. СКАЗКА О ИВАНЕ-ДУРАКЕ И РОЗОВОМ ЦАРСТВЕ-ГОСУДАРСТВЕ

Вечерний туман из ущелья Орто-Балаган полз в верх по долине на наш базовый лагерь перед пещерой Генрихова Бездна. Завтра с утра глубинные штурмовые группы вновь, как каждый год в августе, «посыпятся» под землю, чтобы помериться силой с этим замечательным вертикальным лабиринтом. До трехсотого метра веревки уже висят, телефонная связь налажена, транспортные мешки с подземным лагерем и продуктами упакованы и опущены через первые два колодца еще вчера. К штурму все готово. Во всяком случае, так меня уверяют руководители групп. Это потом выяснится, что бензин протекает через горловину канистры, сухой спирт упакован кое-как, Коше необходимо срочно перешить ремни на подвесной системе, Людмила в модули не вложила колбасу, Вовочка забыл в Киеве штаны от гидрокостюма, кабель где-то коротит на землю – из-за всего этого и еще многого другого по лагерю пробежит легкая паника, временами переходящая в скандальный шквал.

Самые организованные начнут спуск в первый колодец только после обеда, а кое-кто уйдет под землю вечером.

Это, конечно, плохо – нарушенный биоритм скажется на акклиматизации и работоспособности штурмовиков. Но такое случается почти всегда, если в группе много молодежи, и не стоит волноваться заранее. Переживать эти неприятности будем завтра, а сегодня необходимо расслабиться и отдохнуть.

Похолодало. Натягиваю пуховую куртку и выхожу к столу. Это мощное сооружение, длиной метров семь, шириной полтора метра и высотой с метр, построено Соловьем и Кошмаром из плит известняка в былые славные годы. С северо-востока стол закрыт ветрозащитной стенкой. Вокруг стола сложены из небольших валунов лавки. Пламя двух свечей освещает кружки с чаем и алюминиевые миски с твердыми, как камень, пряниками и подсолнечной халвой. Лунным светом поблескивают сахарницы – стеклянные полулитровые банки. В окружающей стол холодной тьме белеют десятка полтора небритых лиц, впрочем, большинство штурмовиков еще и не пробовало бриться.

Сахар в этой экспедиции – дефицит. Все уже съели свою вечернюю пайку и гоняют чай с халвой, она у нас в этом году «свободный» продукт, это означает – ешь, сколько хочешь. Странная история: когда чего-то много, то и не очень хочется, а ведь в прошлом году халвой клялись, как самым святым.

Ташка наливает мне чай, пододвигает пряники и уговаривает:

– Иваныч, расскажи сказку. Будь человеком.

Знаю, что сегодня не открутиться, но все же пытаюсь возражать:

– Да ну её, Ташка. Устал я сегодня.

– Ты обещал. Выдавай сказку! А то завтра слиняешь в подземку – и тебя не достать. Кстати, о подземке, из нее тоже надо когда-нибудь выходить. Вот тогда я тебя с довольствия и сниму, как врага спелеологического народа.

– Это что? Шантаж?

– Конечно, шантаж!

– Ну тогда сдаюсь. Заказывайте, о чем рассказывать.

– О любви!

– Пусть будет о любви, эта тема вам не скоро надоест. Грустную или веселую?

– Веселую!

– Веселые сказки у меня плохо получаются.

– Тогда давай грустную.

Выдерживаю артистическую паузу, обвожу сидящих за столом загадочным взглядом, приглаживаю поредевшие волосы и начинаю сказку сказывать.

Давным-давно, когда земля была совсем молода и удивительно прекрасна, люди верили друг другу, в любовь и в чудеса. Их разноцветные царства-государства привольно располагались в предгорьях циклопических гор по берегам кристально чистых рек. Всем тогда хватало места под солнцем.

В одном из этих государств – Синем – жил принц, стройный, красивый и очень перспективный молодой человек. Принц хорошо одевался, считался весьма образованным, умел вести себя в приличном обществе, был уважаемым среди мужчин, нравился женщинам, лихо фехтовал и знал толк в лошадях.

Была у принца невеста, конечно, тоже принцесса. Жила она в соседнем Розовом царстве. Славилась красотой, добротой, кротостью, умом, начитанностью и практичностью. Ее замечательные кудри белые и пышные, как тополиный пух, сводили сума всех рыцарей с ума из ближайших окрестностей.

Принц и принцесса любили друг друга и не могли недели прожить, чтобы не повидаться. Вот и в эту пятницу принц, отпросившись у батюшки с утра пораньше, оседлал коня и выехал в сторону границы. Расчет был прост:

– За день доберусь до королевского замка. Вечерком в покоях у королевы чайку с тортиком попью, ближе к ночи с королем пульку запишу – надо старичка уважить. С утра в субботу с принцессой и её

братьями на охоту поеду. Говорят, что в этом году в Розовом царстве уток развелось видимо-невидимо. Вечером будет бал – протанцую с принцессой всю ночь, чтобы было о чем всю неделю вспоминать. А в воскресенье с утра можно и в обратный путь собраться, чтобы к вечеру в родной замок попасть и успеть к понедельнику отоспаться. Вот так, не спеша и в предвкушении размышляя, принц незаметно для себя добрался к границе и видит: стоит старичок, белый весь такой, аж серебристый, руку поднял, просит остановиться.

– Ты чего, отец, не видишь, что я на одноместной кобыле? Никак подвезти не могу. Сам знаешь, какие нынче строгости на дорогах.

Старичок коня за узду берет, странную речь ведет:

– Эх, внучек. Не о себе моя забота, а о тебе. Знаешь ли, куда путь держишь?

Горд принц, но вежлив. Отвечает старцу сдержанно, хоть мог бы и плетью угостить:

– Еду я, дедушка, в Розовое царство-государство к своей невесте в гости. А твое какое дело?

– Должен сказать тебе, юноша, что третий день в Розовом государстве страшная беда. Как солнце на закат идет, вылетают из чумных болот черные шмели, и нет от них никакого спасения в королевской столице. Если кого шмель один раз ужалит, тот ума лишается, а кого два раза ужалит, тот в страшных муках погибает.

Огорчился принц несказанно и запричитал горестно:

– Откуда несчастье такое на мою бедную голову? За что бог так жестоко карает верного своего рыцаря? Как же мне теперь быть, несчастному? Как невесту из страшной беды вызволить?

Вздохнул старик тяжко и ответил жестко:

– Коль захочешь, можешь и невесту, и все Розовое царство спасти. Есть такое средство. Нужно, чтобы на закате дня молодой рыцарь вышел на главную площадь столичного города, выпил стакан древнего, освященного солнцем вина и подставил грудь налетающей черной туче. Вот об этого рыцаря чумная мерзость и разобьется. Только и герой погибнет, сей подвиг свершив.

– Нет мне жизни без принцессы! – вскричал рыцарь, – Погибну в бою с нечистью, но своего меча не опозорю!

Пришпорил коня отважный юноша и быстрый, как ветер, помчался на выручку невесте. Только мысль его еще быстрее летит:

– А что, если принцесса уже мертва или, того хуже, безумна? Всю жизнь потом с ней мучиться? А если самого какая гадость ужалит? И не жил еще совсем. Жаль, конечно, принцессу, да не одна ведь она на белом свете. На той неделе приезжала к нам в гости красавица из Зеленого царства. Улыбалась мне особенно. Руку гладила ласково. И приданое у нее немалое.

А конь все медленней и медленней бежит, вот уж совсем остановился, ушами прядет, тревожно ржет. Видно, беду чует. Развернул рыцарь коня, пришпорил посильней. Когда мимо старика скакал, сделал вид, что не заметил.

Опустил старик голову на клюку и тяжело вздохнул:

– Горе, ох какое горе! Нет спасения Розовому царству!

Задумался о короткой людской памяти, горьком человеческом счастье. Возмутился старческой бессильной тоске, нечистой, подлой немощи. И первый раз в жизни порадовался приближающейся смерти.

Нет спасенья розовому царству!

Вдруг с хребта Берчиль раздалось далекое «Эва!» и на гребне появились два светлячка фонарей. Ташка разволновалась:

– Это Ромаша с Катей. Наконец добрались. Видно, с попутками не повезло. Как будут с рюкзаками по темноте усталые к нам спускаться?

Все засуетились и поползли в палатки за фонарями. Коша карбидную лампу раскочегарил до пятнадцати сантиметров длины лепестка. Быстро собралась команда добровольцев. Еще тридцать минут суеты – и прибывшие уже за столом, в заботливых руках Ташки и дежурных, накормлены, напоены. Обменялись новостями. Я, было, намылился спрятаться в своей палатке. Куда там! Меня торжественно вытащили к столу и заставили продолжать сказку:

Вдруг из-за ближайшего перелеска донеслась песня из тех, что не слишком музыкальная, но веселая и бесшабашная:

Над степью, зноем опаленной,
Среди высоких ковылей
Семен Михайлович Будённый
Скакал на рыжей кобыле.

Видит старик: по тропе на огромном рыжем мерине не спеша едет парень – косая сажень в плечах; не с лица воду пить; что с возу упало, то пропало; и тому подобное. Одежонка на парне немудреная – тельняшка нараспашку, штаны кавалерийские с лампасами, сапоги кирзовые каши просят. В кармане ветер гуляет. Вооружен парень, правда, неплохо: с левого боку – меч-кладенец, с правого – револьвер двадцати зарядный, за плечом – карабин Мосина.

Подъехал рыцарь к старику, с коня слез, к черешенке повод привязал, в торбу овса подсыпал. Осмотрелся, на пенек присел, из старой армейской фляги злого душистого вина хлебнул и деду в чарочку плеснул:

– О чем, отец, думы такие трудные?

– Не тревожь мое горе, парень. Не тебе мое горе развязать, не мне о нем сказывать.

– А ты не стесняйся, говори. Может, и к месту придусь. Времени у меня немерено, работы серьезной делать не могу, поскольку дурак. Слыхал про такого? Меня Иваном зовут, как положено. Батя посмотрел, что с меня в хозяйстве толку никакого и выгнал со двора еще в прошлой сказке. С тех пор и езжу по белу свету. Сдуру в чужие дела лезу. На днях Кощею Бессмертному жизнь укоротил, а вчерась бабе Яге любимую костяную ногу сломал. Всякая мелочь вроде упырей, леших и водяных меня как огня боится. Так что давай, дед, выкладывай свои проблемы. Все равно от скуки маюсь.

Старик смерил парня взглядом и, решив, что невелика в разговоре потеря, поведал любопытному:

– Ну что ж, слушай, рыцарь, коль времени не жаль. Если весь день по этой дороге скакать на хорошем коне, не мешкая, то к вечеру можно в столицу Розового царства-государства попасть. Только человеку там сейчас делать нечего, да и едут теперь больше не туда, а оттуда. Разбегается народ в ужасе. А беда у них в том, что каждый вечер на закате солнца из чумных болот черной тучей прилетают огромные шмели. Кого раз шмель ужалит, тот от страшной боли безумным становится, а кого два раза ужалит – на том же месте в муках смертных погибает. И только одно средство есть, чтобы беде помочь. Должен какой-нибудь смельчак на самой главной площади в столице Розового царства бокал вина выпить и своей грудью беду принять. Все шмели погибнут, но и герой вечерней зари не переживет.

– Да, отец... Твой рассказ и вправду мне не по адресу. Это дело Ивану не по силам. Сойтись с врагом в чистом поле – это я еще понимаю, но чтобы просто так, без хорошей драки жизнь отдать? Не такой я дурак.

– Чего уж там... Хоть честно признался. Езжай своей дорогой, рыцарь, и не поминай старого лихом.

Отвязал парень коня, влез в седло и призадумался мыслями дурацкими, нормальному человеку непонятными:

– Розовое царство совсем рядом. Рукой подать. Похоже, что последние деньки доживает, а я был, дурак, рядом и посмотреть не удосужился. Дел-то всего – раз плюнуть. Если поторопиться, до вечера туда и обратно можно успеть слетать.

Думать парень долго не привык, повернул коня на розовую дорогу, причмокнул, подмигнул крайне удивленному деду и двинулся в путь, запевая что-то совсем уж несуразное.

Поскольку парень был совсем уж разгильдяистый, времени считать не умел, то и ухитрился приехать в столицу Розового царства на ее главную площадь прямо к закату.

В горле пересохло. Намекнул я Ташке взглядом на пустую кружку. Плеснула она туда щедро чаю и экономно рома. Глотнул я божественный напиток и продолжил:

Глянул рыцарь на город и дух ему перехватило:

– Мать честная, пресвятая Богородица! Красотища-то, какая!

Этот город на закате был действительно сказочно хорош. Стройные дворцы розового мрамора устремились из цветущих миндальных садов в розовое небо. Улицы, мощенные розовым гранитом, пересекают город и бегут долиной к Розовым горам. Волшебный розовый закат играет солнечными лучами на высоких буйных облаках.

Только окна белыми ленточками крест на крест заклеены. Только черная туча, перечеркивая закат косым крылом, поднимается из-за горизонта. Тяжко на душе стало парню и грустно несказанно.

– Кому я в этом мире нужен? – подумал. – Копчу небо, как куча мусора на свалке. А тут такая красотища пропадает. А ну его все к лешему!

Не долго размышляя (да и о чем тут думать!), рванул Дурак тельняшку на груди до самых порток, глотнул заветного зелья из фляги – жаль, мало оставалось, – встретил беду, не отводя взгляда. И разбилась черная туча о мужество и доблесть богатыря! Только

Иван тоже на ногах не устоял. Пошатнулся парень и упал на черный ковер бездыханным.

А жители города в своих домах, дрожа от ужаса, ждут, кто первым засмеется безумным смехом, кто в страшных муках смерть примет, разрывая на себе ногтями кожу. Только закат все так же безмятежен и тих. И не бьется в окна черная смерть. Самые отчаянные на улицы вышли, на главной площади собрались и увидали там черный ковер из подохших чумных шмелей. Поверх ковра, раскинув руки, парень лежит. Обычный парень. Тельняшка на груди разорвана, не с лица воду пить, сапоги кирзовые каши просят, в карманах ветер гуляет. Да и по лицу видно – дурак дураком.

Воздали жители царства парню почести, какие могли, и на этой же площади похоронили. На могиле азуритовый камень поставили. Самый красивый букет из огромных синих роз принцесса принесла, поплакала немного и пошла на околицу ждать своего любимого.

– И эта вся сказка? – возмутилась Ташка. – Ведь принц никогда не вернется!

– Почему же? – возражаю я. – Может, и вернется. Беда ведь уже миновала.

Послышалось негромкое (это Саша, – моя дочь, обозвалась, она явно смущена и неловко оправдывается):

– Дурачка жалко.

Ну и слава богу! Значит сказка удалась.

4. СКАЗКА О НЕЧИСТИ, ВОЛШЕБНОЙ ФЕЕ И ОЧЕНЬ ЗДОРОВЫХ МУЖИКАХ

Пыльный жаркий полдень. Над окаменевшей под июльским крымским солнцем красновато-бурой землей в расплавленном воздухе очень жаркого лета плывут, зажатые в ладонях, две изогнутые под углом стальные проволочки. Сейчас для меня в этом мире есть только эти рамки и тонкие струйки воды в трещинах темно-серых флишевых пород, пробирающиеся от затерянных в горах родников к Черному морю.

Нам необходимо перехватить воду и поднять наверх в иссушенную солнцем и ветрами пыльную долину. За работу я и мои буровики получим кое-какие деньги, а хозяин (татарин Миша) сможет полить привезенную из Ферганы лозу. Когда-то такую же лозу вез в далекую Фергану в простреленном войной товарном вагоне дед Миши, отливая черным корням половину своей воды, которую ему выдавал по утрам ледащий орловский ефрейтор.

Суббота шла на убыль. Рамки ничего приличного не показывали, разве только слегка увлажненную зону на глубине восемнадцати метров, а необходима была хорошая обильная жила. Воды Мише нужно много: и корове, и овцам, и на полив. А еще семье вода нужна – на привозной не наготовишься, не настираешься.

– Здесь колодец был, – горячится Миша. – Дед, когда умирал, рассказывал. Пятьдесят шагов на восток от угла дома. Только дом совсем разрушен. Где-то здесь стоял.

Миша в сотый раз меряет шагами участок. Из-под навеса фанерного сарайчика, крытого горбылем, перетирая в который раз помятое алюминиевое блюдо, за нами участливо наблюдает мать Миши. Когда ее увезли из Крыма, она была совсем ребенком, и помочь нам своими воспоминаниями не может.

Из Ферганы Миша тоже не по своей воле уехал. Как-то вечером зашел к нему сосед, принес пачку денег и сказал:

– Уезжай, друг. Оставаться тебе здесь нельзя. Сожгут.

Остро заломило в висках и мои глаза налились болью – устал. Опускаю рамки, присаживаюсь на серовато-желтый блок ракушечника и прикрываю глаза. Вода на участке есть, но не там, где хотелось бы Мише. Не около дома, не на огороде, а ближе к долине реки, под старой богатой шелковицей. Только под шелковицей или нигде. Именно там пересекаются две полосы повышенной трещиноватости и рамки вращаются так, что приходится притормаживать их легким сжатием ладоней.

– Будем бурить под шелковицей, Миша, и давай начнем сейчас, а то к темноте не успеем.

– А может, еще поищешь, Валера? Я заплачу!

– За рамки денег не беру, а вот за бурение придется доплатить. Под шелковицей до воды метров двадцать будет, да и грунт там тяжелый.

– Воду будет тяжело к дому таскать. Там метра на три ниже.

– Мы в скважине над устьем четыре метра трубы оставим, привезешь щебня и поднимешь площадку до уровня двора. На базаре купишь насос «Малыш», он тебе воду поднимет, а дальше она самотеком пойдет. Жаль только шелковицу – засохнет дерево, если ствол присыплешь.

– Не засохнет. Я перед стволом стенку построю. Эту шелковицу мой прадед посадил. Ей нельзя умирать.

– Тогда с богом и начнем. Трохим, заводи!

Бодро затрещал пускатель. Взревел и ровно замолотил дизель, поднялась ажурная семиметровая мачта нашей потрепанной буровой установки и начались мучения. Кто занимался бурением, тот знает, что нет более трудного грунта, чем щебень с валунами. Установка качается, как на волнах. Временами кажется, что металл не выдержит и штанги из твердой буровой стали лопнут с сухим треском и разрушительными для нас последствиями. Бурмастер Володя Трохименко (по-простому Трохим) вцепился, как клещ, в рычаги поседевшими от пыли руками и кроет крепкими выражениями все и всех подряд. Я с помбуром таскаю буровые штанги, отгребаю выработанный грунт лопатой и выслушиваю от мастера все, что положено в таких случаях. Сейчас начальник тот, кто за рычагами.

«Халтура» – вещь в инженерной геологии необходимая и начальством негласно поощряется. Зарплата у геолога невелика, командировочных на жизнь в поле не хватает, на складе запчастей нет, а значит, каждую субботу снимайся с объекта и иди «в люди». Еще неизвестно, что на том объекте построят, а татарам вода всегда нужна. Им жить надо, поднимать загубленную винсовхозами землю.

К закату доводим скважину до воды, обсаживаем трубами и чистим желонкой от шлама. Пробую воду на вкус – карбонатов много, но такое в Крыму почти везде. Отмывшись и переодевшись в чистое, идем к столу принять по триста грамм – «чтобы вода не ушла».

– Через три года ты эту землю не узнаешь. Здесь все будет: вишня, виноград, персики. Обязательно приезжай! Самым дорогим гостем будешь! – уговаривает меня слегка захмелевший Миша.

Я соглашаюсь. Всегда соглашаюсь, но не приезжаю. Вода в скважине есть, деньги в кармане, сейчас допьем, доедим, что Аллах послал, и разойдемся навсегда. Не стоит пытаться вернуться в прошлое – настоящее покажется тусклым, а будущее страшным.

Грузим буровое железо на прицеп, выруливаем на горную дорогу, а там Миша уже ловит левый самосвал. Мише мы уже не нужны, ему щебень и бут нужен.

Я много лет работал в «инженерке». Были времена, когда миллионные объекты приводили меня в восторг, убеждали в моей необходимости людям. Я шел со своими буровыми бригадами впереди – разведчик огромной армии строителей атомных электростанций, гигантских химических комбинатов, каналов из конца в конец родной земли.

А может, единственное, что я сделал в моей жизни полезного – это украдкой пробуренные скважины в огородах у людей? Может это и есть моя «лоза»? Но хватит ли мне этих левых скважин, чтобы отчитаться перед внуками?

Впрочем, философствовать мне сегодня не стоило бы. Впереди ночь блужданий по горам. Завтра утром мне необходимо быть на Яйле, где меня ждут мои друзья-спелеологи. Уставший за день Трохим, ворча и проклиная все на свете, забрасывает меня на северную околицу Приветного и, мигнув фарами, уезжает на базу, а я забрасываю на плечи свой шикарный анатомический рюкзак и по крутой тропе начинаю подъем на яйлу, присвечивая себе фонарем.

К пяти утра, на пределе сил, но трезвый как стеклышко, я вышел к озеру Эгиз Тинах. Вздыбленная грядами застывших в вечном шторме известняковых волн Караби-Яйла многолика и однообразна, жестока и нежна, притягательна и опасна. Пещеры Караби в Крыму самые глубокие, и королева этих пещер – «Солдатская». Мой приятель Юра Касьян затеял большую чистку пещеры, а это значит, что придется вынести весь мусор, который десятилетиями скапливался на уступах и в гротах после штурмов многочисленными спортивно-туристскими группами.

Идея мне показалась привлекательной, и я «подписался» вытащить пару мешков с пустыми консервными банками, тем более что сроки экспедиции совпадали со сроками моей командировки на крымское побережье.

К моему приходу навеска веревок уже была проведена. Из пещеры как раз насквозь выползали промокшие и грязные орлы Зубкова. А вот и сам Костик. Увидев меня, он страшно обрадовался и потряс горы воплем, что никто и никогда не заманит его в эту дыру еще раз и что теперь моя очередь купаться в грязи, чему он сказочно рад.

Пять часов сна и два полусна вперемешку с попытками проснуться освежили меня до такой степени, что я почувствовал себя способным к свершению спортивного подвига – прохождению пещеры сложностью 4А без ночлега под землей.

На этот выход я иду в двойке с Князевым. Парень он молодой, и я надеюсь, что мы с ним пройдем пещеру до дна без приключений.

Пещера начинается четырехсотметровым наклонным ходом с пережимами на стотридцатом и стовосьмидесятом метрах. По дну хода течет ручей, и в некоторых местах приходится погружаться в воду. Но это только начало наших пещерных удовольствий. По наклонке сброс высоты невелик – всего метров сто, а потом ручей исчезает в трещине. Зато дальше начинаются колодцы и спуск идет веселее.

Первый отвес всего девять метров. Во время паводка дождевая или талая вода, пробежав по галерее, с ревом падает в этот колодец. Теперь здесь тихо, и это хорошо. Водопады под землей – не самая приятная встреча. Спустившись в первый колодец по отечественной веревке неизвестно какой прочности, через Корявую Галерею подходим ко второму отвесу. Главное, не проскочить мимо и не вывалится в тупиковую часть пещеры, так называемые «штаны».

Глубина второго колодца метров двадцать, по форме он напоминает бутылку и с потолка немного капает – (к счастью, только капает).

На следующем же колодце нас ожидает душ с температурой воды плюс три. (Видимо, откуда-то сверху проникает талая вода).

Еще метров сорок крайне неудобного лаза как для прохождения, так и для протаскивания груза, – и мы выходим к каскаду отвесов: восемнадцать, тринадцать и четырнадцать метров. Спускаемся и видим, что дно колодца очень загрязнено. Всюду обрывки полиэтилена, телефонного кабеля, какая-то гниль – первые следы подземных бивуаков. Князь начинает громко возмущаться, а я помалкиваю, потому что знаю – дальше будет хуже.

Я убежден, что для большинства глубинных пещер подземные лагеря рентабельны только с глубины 500-600 метров. Менее сложные пещеры следует проходить мобильными двойками хорошо подготовленных спелеологов, причём максимально быстро, без остановок – в один выход. А иначе пещера гибнет, особенно такая уязвимая и часто посещаемая, как Солдатская.

А вот и оно, то что мне не нравится. Здесь низкий ход затоплен до половины жидкой зловонной грязью и отдушина под потолком сантиметров пятнадцать. К двадцатиметровому колодцу мы выползаем глиняными чудовищами, подобными легендарному Голему, и торопимся вниз, поскольку на дне этого колодца есть небольшая лужа, в которой можно отмыться, если не очень брезглив. Проходим еще один десятиметровый колодчик и попадаем в грот Столовый. Дно грота, шириной метра три и длиной метров десять, завалено полиэтиленовыми мешками с мусором. Запах в зале стоит тошнотворный, вода в ванночках черная, мерзкая.

– Господи! И все это сотворили любители природы!

В описываемых обстоятельствах есть весьма пикантная особенность: когда очередная группа мужественных спелеотуристов, откувыркавшись в Солдатской, спускается на Южный берег Крыма через источник Суук Су, то она норовит подольше порезвиться в его водах, не зная, что именно в этом источнике вытекает ручей Солдатской, вынося их же экскременты, оставленные в пещере.

А ведь есть еще брошенные батарейки, «обогащающие» воду цинком и прочей отравой. Кроме всего прочего, целый букет бактерий может возникнуть и на остатках недоеденной пищи, которые обычно поливаются радиоактивными и кислотными дождями, выпадающими на поверхность Караби-Яйлы. Когда-нибудь эти подземные свалки подарят нам такое микробиологическое чудо, какое никаким умникам, и присниться не могло.

Отгоняя от себя грустные мысли и вонь, спускаемся по природной лесенке со ступенькам от двух до четырех метров к Линзе. Линза – это узкий, извилистый, крутонаклонный ход. Он дается мне очень тяжело – методом просачивания, а вот Князь проходит его без особых затруднений. (мне бы его габариты).

За Линзой – два колодца, глубиной девятнадцать и двадцать шесть метров, которые приводят к третьему колодцу – отвесу в восемьдесят пять метров. Этот колодец называется Надежда и делится навеской на четыре части. На дне этого колодца мусора уже почти нет. В паводок эта часть пещеры заливается полностью, и вода смывает все «спелеотуристические грехи» в недоступные для человека щели.

Каскад отвесов в шесть, семь и пятнадцать метров приводит нас к узкому наклонному ходу длиной пятьдесят метров. Не доходя трех метров до конца хода, следует перевернуться и двигаться ногами вперед, потому что трещина постепенно переходит в вертикальный колодец, резко расширяющийся книзу, а цепляться к веревке в положении вверх ногами над десятиметровым отвесом крайне неудобно (я как-то пробовал).

Спуск по пятисотметровому обводненному наклонному ходу, прерываемому несложным двадцатиметровым колодцем, не представляет особой сложности, если бы не некоторая усталость. Не стоило, конечно, на ночь глядя пускаться в это путешествие, но время поджимает нас, и, когда мы наконец спустились к озеру на дне пещеры, я невольно ощутил облегчение.

Вода в озере мутная, бурая. Пройдет несколько суток, и она появится в источнике, потом опять нырнет в галечник Канакской балки и, если её не перехватят насосные станции пансионатов, выйдет в субмаринных источниках. А ведь многие отдыхающие в этих пансионатах лечат горло полосканиями морской водой (я бы не советовал, учитывая вышесказанное).

Над озером – мемориальная табличка, установленная москвичами в честь погибшего друга. Москвичи относятся к гибели своих товарищей довольно спокойно, и таких табличек в пещерах нашей страны хватает.

В консервной баночке варим крепкий кофе, выпиваем его, закусывая курагой, и поворачиваем на выход.

Уходим из пещеры, собирая и пакуя в мешки пустые банки, обрывки полиэтилена, использованные батарейки, обрывки телефонного провода, какие-то тряпки. За сто метров подъема набрали два полных мешка. Ну и ладушки!

Цепляем мешки на себя и жмем экспрессом на выход, к солнцу.

Выходим на поверхность рано утром. Около самого выхода встречаем очередную двойку, которая спешит за своей порцией мусора. Таких двоек в этой экспедиции будет работать двадцать, а то и больше. Прослышав о мероприятии, подходят все новые и новые группы спелеологов.

Настроение хорошее. Пещера отличная, и если привести ее в порядок, не стыдно будет людям показать. И, кроме того, мы еще раз доказали, что можем ходить быстро, аккуратно, делать серьезную работу малыми группами и не оставлять за собой кучи мусора. Только надо стать немного другими.

В лагере шумно. Простуженно хрипит примус, суетятся дежурные. Кое-кто раскладывает сушиться свои мокрые пещерные пожитки на камнях. Наше появление вызывает восторженный писк женщин – оказывается, нас ждали только часа через четыре. Дежурные вручают нам вместо цветов букет колючек, по сто грамм разведенного спирта и бутерброды с салом. Заботливые барышни снимают с нас пещерные доспехи, умывают подогретой водой и ведут к импровизированному столу, где уже дымится крутая гречневая каша с тушенкой и крепкий чай. Хорошо!

Доедаю кашу, принимаюсь за чай и вдруг замечаю, что вокруг собралось слишком много народа. Неспроста это.

– Иваныч, – начинает Паша, – мы тут поспорили, что ты после этого штурма порадовать народ своими байками никак не сможешь, поскольку в Линзе тебе язык контейнером придавило, а в Надежде остатки фантазии потом смыло.

– Есть у меня мысль, ребята, послать вас всех вместе сами знаете куда и пойти спать. Кто загадывал этот ход событий – выиграл.

– Валерочка, я ставила на тебя, – включается в разговор Ирочка, – неужели ты меня подведешь? Тем более, что у меня найдется, чем поддержать твои угасающие силы. И на столе появилась алюминиевая фляга.

Отказать в чем-либо Ирочке я не мог никогда, и содержимое фляги не вызывало сомнения. Кроме того, я чувствовал, что пришло время сдаться, и я сдался (все равно в покое не оставят).

Слегка затягивая время, чтобы вспомнить какую-либо заготовку, набираю огромную кружку чая, подкрепляю ее Ирочкиным бальзамом из сотни трав и начинаю на старый испытанный сюжет накручивать виток за витком досужие размышления стареющего ветерана.

Как свидетельствует замечательная наука геология, когда-то вся наша планета была покрыта одним океаном, в котором по базальтовому основанию плавал праматерик. С тех пор на земле осталось мало следов, но старые, внушающие доверие аксакалы, вроде меня, свидетельствуют, что и в те далекие времена жили люди.

Жизнь в том геологическом периоде была экологически чистой, но нелегкой.

Конечно, и климат был тогда получше, и с харчами было значительно легче, и СПИД еще не обнаружили. Только вот Вурдалаки, Ведьмы, Змеи Горынычи и прочие безобразия так иногда донимали своими дурацкими шутками, что если бы не одно обстоятельство, то жизнь людей в те времена напоминала бы нашу.

Очень облегчала бытие людей прекрасная Фея. Она без устали летала по белу свету на своих радужных крыльях и творила добрые чудеса, правдивые легенды о которых доходят к нам из глубины веков. По ее приказу появлялись на земле самые первые цветы, загорались чудесные рассветы, давали гастроли талантливые соловьи. И получалось так, что, как ни пыталась Нечисть испортить людям радость жизни, все её старания с лихвой компенсировались благой деятельностью Феи.

Так бы оно и вершилось многие тысячелетия до наших времен, если бы Нечисть поднатужившись не родила такую Пакость, что ни в сказке сказать, ни на заборе описать. И вот эта Пакость, не успев толком после родов обсохнуть, дернула для храбрости сто грамм, влезла на трибуну, не записавшись заранее в прения, оглядела мутным взглядом притихшую от этакой наглости Нечисть и ударила кулаком по фанере с такой силой, что графин подпрыгнул и опрокинулся.

– Плохо работаете, мерзавцы! Без плана! Без системы! Без перспективы! Надо смотреть в корень! Бить в лоб! Применять научные методы! Кроме того, нужна свежая талантливая идея и она есть! Будем похищать Фею!

Нечисть вначале ничего не поняла, но, приняв еще сто грамм, дошла до кондиции, взревела от восторга и принялась за дело.

Около стола появился начальник экспедиции Юра Касьян, осмотрел собравшуюся компанию орлиным взглядом и заявил:

– Снега в снеготопке с гулькин хрен. Воды на кухне всего два ведра. Желающие смотаться на снежник за снегом есть? Нету? Будем назначать добровольцев.

Народ недовольно зашевелился. Добровольцы были определены из тех, кому в пещеру еще не скоро. Парни, прихватив мешки и лопату, направились на снежник, а я продолжил свой рассказ.

Действуя организованно, по специально разработанному плану, с применением самых современных и рентабельных методов шантажа, угроз, обмана и предательства, Нечисть загнала Фею в темный уголок между Индией и Австралией. Там добрую волшебницу связали по рукам и ногам смоляными веревками и доложили Пакости секретным шифром, что дело в шляпе.

Пакость, ошалев от радости, объявила всех участвовавших в операции генералами и, возглавив ликующую процессию, поволокла драгоценную добычу в центр Земли.

На чудовищной глубине в подземном зале Фею заперли в железоникелевой клетке и на радостях устроили такой шабаш, что праматерик не выдержал. Потрясся, болезный, потрясся и лопнул по швам глубинных разломов. И поплыли обломки в разные стороны, оправдывая таким образом очень правдоподобную гипотезу Вегенера.

Сидят люди на своих материках и очень им нехорошо. Тусклым и страшным стал мир без добрых чудес. Нет больше редкой, но большой удачи. Нет счастливого доброго смеха. И любви тоже нет. Ведь настоящая любовь – это тоже очень большое чудо. И даже надежда, совсем уж маленькое чудо, пропала в грустном и безысходном мире.

В общей тоске и печали не участвовала только одна компания. Не было у них этого в обычае. Мужики в компании подобрались что надо: ростом велики, здоровьем удались, подраться не дураки. И хоть старшему стукнуло пятьдесят, а младшему шестнадцать, были они не просто друзьями. Объединяло их великое братство искателей приключений и дальних странствий.

Числом их было десять, собрались они по серьезному поводу, поэтому жареный бычок и два бочонка доброго вина кончились быстро. Вот старший из братьев допил вино из последней корчаги, подождал, пока последняя кость улетит собачьей своре, встал, тяжело вздохнул и поторопил:

– Кончай закусывать, мужики. Пора выходить. Сегодня у нас трудный день, – и поправил помятый шлем.

Собирались как будто не торопясь, а получилось что не мешкая, и ушли в скалу. Огромными мечами из стали дедовской закалки врубались братья в камень, прикрываясь от осколков круглыми красными щитами, могучими булавами разбивали богатыри базальтовые глыбы и вминали их одна в другую. Пламя жадно рвалось к их телу сквозь сказочные доспехи, чудовищное давление пыталось раздавить мужиков в своих могучих объятиях, но отряд шел упорно, круто, без остановок на перекуры.

Очень быстро шли богатыри, но путь к центру Земли далек и труден. Поэтому только глубокой ночью добрались в огромную пещеру, где после смертельной пьянки один возле другого отдыхала Нечисть. Очень уморилась. Даже самая главная Пакость не выдержала и уснула тяжелым нечистым сном, уткнувшись небритой физиономией в чью-то задницу.

Осторожно переступая через рыбьи хвосты русалок, щупальца гарпий, длинные ноги Кощеев Бессмертных, братья пробрались к цели, взломали клетку и, передавая из рук в руки сомлевшую от сивушных запахов Фею, двинулись вверх по прорубленому тоннелю.

От входа в Солдатскую раздался торжествующий свист, на поверхность выползли Петька и Толик Коврижные – братья из Полтавы. Им было поручено проверить связь от входа «до трехсотого». Место, где кабель коротил на землю, они нашли, изолировали и, прихватив на обратной дороге по мешку пустых консервных банок, явились миру довольные собой, как... Ну, в общем, довольные. Девицы тут же бросились к ним, обеспечили заботой и закуской, вернулись к столу и принялись за меня опять: продолжай, мол.

Как ни торопились мужики, но дорога и усталость берут свое. Где-то между верхней и нижней мантией присели ребята передохнуть. Выпили крепко заваренного чая, закусили вяленой дыней и салом, перемотали портянки. В этих местах уже было немного прохладней – до поверхности рукой подать. Можно было бы слегка расслабиться, но вдруг из глубины планеты донёсся нарастающий грохот. Это самая главная Пакость, проснувшись из-за изжоги, обнаружила пропажу Феи. Рассвирепев, Пакость разжаловала всех своих генералов в рядовые и послала в погоню за богатырями.

Прислушался к шуму старший брат и сплюнул от огорчения под ноги:

– Не успеваем, мужики. Устраивайтесь поудобней. Похоже, что мы здесь надолго.

Парни переглянулись, подтянули ремни на доспехах, поправили каски и вытащили мечи из ножен.

– Фею наверх понесешь ты, – обратился старший брат к младшему, – ей наши приключения будут утомительны. И не очень торопись, я думаю, что мы сможем продержаться достаточно долго.

Когда младший из братьев вынес Фею из-под земли, ранняя заря только окрасила вершины гор в нежный розовый свет. По колено в утреннем тумане прошел юноша шелковистой травой к лесному источнику, опустил свою драгоценную ношу на плащ и плеснул в лицо Феи холодной ключевой водой. Фея очнулась, привстала, оглянулась вокруг и спросила:

– А где же остальные братья?

– Перекуривают, сейчас догонят, – парень соврал так убедительно, что Фея поверила ему и улетела по своим волшебным делам, которых много накопилось за время ее отсутствия.

А юноша набрал во флягу ключевой воды, последний раз взглянул на светлеющее небо и ушел в скалу, к братьям.

С тех пор прошло много времени. Очень много. То там, то здесь страшно гудит земля, рушатся горы и сотрясаются континенты. Это в глубине планеты бьются насмерть братья. Они устали. Но они знают, что растет смена, которая готовится к штурму глубин земли, и уже пройден первый километр. Парни знают, что придет время, когда на секретных полигонах команды богатырей займут свои места в титановых подземоходах. Старший, проверив системы безопасности, поправит ларингофоны, даст отсчет времени, нажмет кнопку «Старт» и скомандует по громкоговорящей связи:

– Сегодня у нас трудный день, мужики. Вперед геонавты!

Оваций не было. Обошлись коротким «Спасибо, Иваныч» и устроили разбор по поводу того, чем и как расплачиваться проигравшим спор. Я чувствовал себя опустошенным и прикидывал, где бы залечь в спячку минут на триста, но тут меня задержал одессит Витя Мацевич. Выглядел он слегка смущенным:

– Если я вас правильно понял, то вы, Иваныч, всерьез полагаете, что спелеология – путь к центру Земли.

– Я этого не говорил, но почему бы и нет? Посчитай, сколько наших пришли из спелеологии в геологию? И не потому, что конкурсы на геологические факультеты меньше, а зарплата больше, чем у продавца мороженого. В наши времена конкурса в геологических вузах нет вообще и безработных среди геологов хватает. Я полагаю, что парень, покувыркавшись лет пять в спелеологических путешествиях, твердо знает, чего он хочет от геологии. Он уже прошел первый километр вглубь Земли, и остались сущие пустяки.

– А стоит ли так калечиться? Что там, на огромной глубине может пригодиться человеку?

– Не знаю. Может, много чего. А может, и ничего. Но пока мы будем уходить за грань известного и доступного, не задавая себе вопрос «зачем», у нас есть шанс оставаться людьми.

5. СКАЗКА О ДОБЛЕСТНОМ РЫЦАРЕ И СЕРДЦЕ ЗЕМЛИ

Народ в пещерах кочует разный. Иногда не поймешь, что заставляет миловидную, хорошо воспитанную девушку или мужика предпенсионного возраста «кувыркаться» в совершенно некомфортных условиях.

Чтобы выбрать правильную тактику общения и хоть как-то прогнозировать моральный климат во время путешествий в пещерах, я выработал для себя примитивную, но на практике действенную классификацию спелеологических характеров, разделив все разнообразие натур пещерников на пять групп.

Наиболее веселой группой в любой экспедиции являются ОПТИМИСТЫ. В каждой щели они видят возможное продолжение пещеры и готовы в любую минуту «положить свой живот» на алтарь спелеологии. Технику безопасности оптимисты считают букварем для новичков, но неприятности почему-то обходят их стороной. При распределении груза хватаются за самый тяжелый мешок. Работать с ними весело, но необходимо все время контролировать, чтобы не зарывались.

ПЕССИМИСТЫ поскучней, они рассчитывают каждый свой шаг на основе отрицательных эмоций, скопившихся в неудачных экспедициях. В свое везение не верят, притягивают мелкие неприятности, но крупные аварии с ними не случаются. Обычно сварливы, на вид угрюмы, в работе надежны. Груз берут по силам.

ЦИНИКИ побывали везде, всему знают цену, в спелеологии, как и во всем остальном, смысла не видят. Они отчаянные матерщинники и являются конечным продуктом развития оптимистов и пессимистов. Каждую экспедицию объявляют последней, но на самом деле держатся за спелеологию, пока здоровье позволяет. Работать с ними тяжело, но можно. Из груза берут то, что осталось от оптимистов и пессимистов.

ДОФЕНИСТАМ пещеры «до фени». Им всего важней дотации, медали, категории, звания, справки и удовлетворенное тщеславие. Из груза предпочитают то, что полегче. Трогательно аккуратны по отношению к собственному снаряжению и безопасности, но им плевать, что будет с теми, кто идет за ними по веревкам. Эти опасны для окружающих и для самих себя.

СЛУЧАЙНЫЕ есть практически в каждой экспедиции. Попав когда-то в спелеологические круги, они вращаются между свадьбами, днями рождения и штурмами, как в водовороте. Безобидны и служат благодатной средой для сбора различных взносов. Иногда случаются волшебные превращения в ОПТИМИСТОВ, но редко. Чаще эволюционируют в ДОФЕНИСТЫ. Глубже трехсотого метра СЛУЧАЙНЫХ пускать нельзя.

В чистом виде приведенные типы встречаются редко, а в каждом из нас при желании можно найти и то, и другое, и третье. Причем, чем больше переутомление и переохлаждение, тем чувствительней сдвиг от оптимизма в сторону дофенизма, что весьма осложняет и без того тяжелые условия глубинных нисхождений.

В этой экспедиции по Генриховой Бездне большие приключения начались на третьи сутки штурма. За двадцать пять часов, которые мы потратили, чтобы спуститься от входа на Пятисотый метр с двухнедельным запасом продуктов и снаряжением для восхождения по Восточному Барьеру, процент «дофенизма» в нас вырос до пятидесяти. Хороший, теплый лагерь, приличный ужин и два часа сна снизили этот процент до двадцати. Больше нам поспать не дали. Разбудил нас парень из Ивано-Франковска по имени Петя и севшим от усталости голосом сообщил, что метров на сто пятьдесят ниже нас его приятель по кличке Кот упал в двадцатиметровый колодец и находится в тяжелом состоянии.

– Когда это он успел? Вы же всего три часа назад проходили мимо нас, – спрашиваю у гонца, еще не осознав спросонья, что экспедиция, которую мы готовили целый год, накрылась и начинаются «великие подвиги», которые называются спасательными работами.

– В семнадцать тридцать, на отвесе в Столовый зал. Спусковая решетка развалилась. Когда Кот слетел, я попытался до вас дозвониться, но не смог. Спали крепко или кабель где-то порвало. Пришлось бежать самому. С Котом остался Саша.

Ситуация более или менее ясна. Медлить нельзя. Начнем разворачивать спасаловку. Кто там есть в ближайших лагерях? На четырехсотом отдыхает каменец-подольская группа перед спуском на девятисотый метр. Парни здоровые. Жаль ребят, но на сто метровом колодце придется наводить полиспаст им. Участок от Столового до Большого колодца достанется нам, а что будем делать выше четырехсотого – жизнь покажет.

Вынимаю из-под головы телефонный аппарат и вызываю лагерь на четырехсотом метре:

– Бездна-400, Бездна-400, вас вызывает Бездна-500. Как слышите меня? Прием.

– Хорошо слышу, – отвечает руководитель каменецкой группы Володя Яворский и всовывает голову в палатку, – мы уже все спустились к вам в зал. Часов через десять планируем быть на восьмисотом метре.

– Лучше бы ты, Володя, не успел спуститься к нам. Хватай своих мужиков в охапку, поднимайся на четырехсотый метр, ставь лагерь и готовься там проторчать где-то четверо суток.

– Но ведь полетит мой график, Иваныч!

– Мой график уже полетел. Назначаю вас, Яворский, начальником спасательной группы 400, подчиняться будете лично мне.

– Понял, – уныло ответил огорченный Володя, но чувствовалось, что он понял ситуацию.

Яворский выполз из палатки, и чуть позже из темноты донеслись звуки перебранки, слегка напоминающей скандал под аккомпанемент крепких выражений. Это Володя объяснял своей группе задачу, а группа видела эту задачу в гробу. Наконец шум утих, кто-то дал команду «Пошел» и попросил придержать трос. Это расстроенные каменчане начали подъем на четырехсотый метр. А ведь только-только спустились. Ну что ж, нам всем достанется на орехи.

Ожил телефон. Вышли на связь москвичи с шестисотого метра:

– Иваныч, мы можем подключиться к спасаловке.

– Благодарствую, мужики. Пока работайте по своему плану. Мне еще обстановка не совсем ясна, но если понадобится, я вас потревожу.

Москвичи у нас в гостях и задействовать их можно только в крайнем случае. Каждый должен тащить свой груз сам, пока может.

Наша пятерка уже не спит. Руслан и Ладушка, затащив Петю в палатку, поят его холодным чаем, а Людмила и Коля уже одеваются и по ходу дела расспрашивают о состоянии пострадавшего.

– Голова разбита, но мозгов не видать, – выдает информацию Петя, – сломана правая рука и лицо распухло, как подушка, болит позвоночник, но ногами шевелить может.

– Сознание терял? – интересуется Людмила.

– Вначале ни на что не реагировал, но потом заговорил. Что с ним произошло, не помнит.

Минут через двадцать Людмила и Коля готовы к выходу, и я ставлю им задачу:

– Оценить обстановку, оказать первую помощь пострадавшему, сообщить по телефону мне и на поверхность в базовый лагерь.

Прогрохотав камнями на спуске, спасательная группа ушла к завалу, через который ей предстоит пробраться к месту аварии, а я, Руслан и Ладушка остались ждать. Через час опять ожил телефон. Звонила Людмила:

– Иваныч, мы на месте. Кот выглядит страшновато. Говорит, что чувствует себя хорошо, но верить нельзя. Что надо, я ему уколола, сейчас наложу шину. Коля занимается организацией отдыха. От Пети и Саши пользы мало, а тут такое творится. Позвоню позже еще раз. Конец связи.

Коту повезло дважды. Первый раз повезло, когда под ним прямо по линии падения оказался большой, плоский, крутонаклонный камень, погасивший силу удара. Следует, кроме того, учесть, что впереди Кота падали его четыре мешка с лагерным скарбом, которые тоже смягчили удар.

Парень вместе с мешками скатился по наклонке вниз и разбил каску о какой-то камень, зато голова осталась цела. Глубокие раны от плохого амортизатора на коже головы, выбитые зубы, сломанная рука, стакан потерянной крови и полсотни ушибов в такой ситуации не в счет.

Второй раз пострадавшему повезло в том, что на сто пятьдесят метров выше по пещере находилась Людмила со своей аптечкой.

Одна из распространенных ошибок неопытных спасателей заключается в том, что беднягу, кое-как перемотав бинтами, сразу начинают куда-то тащить. В таком случае часов через шесть-семь получается свеженький труп.

Оказав помощь пострадавшему, следует дать ему возможность прийти в себя, восстановить силы и подготовиться к подъему из пещеры.

Спустившись в Столовый, Людмила опытным взглядом бывалого спасателя оценила обстановку и взяла руководство на себя, отстранив совершенно деморализованного Сашу Довгого от командования. Распорядившись построить ровную площадку и переставить палатку, Людмила ввела Коту противошоковое, остригла волосы на затылке и наложила повязку. Раны на голове выглядели плохо, но неопасно.

На руку Людмила наложила шину из развернутой консервной банки и бинтов, еще раз накормила парня болеутоляющими таблетками, опять всадила какой-то укол, напоила горячим сладким чаем, пристроилась около пострадавшего на транспортнике с продуктами, положила голову Кота себе на колени и стала ждать, пока парня можно будет уложить в спальный мешок.

Дно Столового представляет собой крутой склон, засыпанный большими глыбами, ровных мест на нем практически нет, поэтому прошло более пяти часов, пока удалось выровнять площадку три метра на два, сшить телефонным проводом порванную палатку, поставить ее, подсушить на примусе намокший спальный мешок и уложить Кота, а заодно двух его горемычных друзей отдыхать.

Места спасателям в палатке пострадавшего не нашлось, и они вынуждены были вернуться к нам в лагерь.

Кот благополучно проспал двенадцать часов. Когда мы всей группой спустились в Столовый второй раз, пострадавший и его ожившие друзья уже перекусили. Время поджимает, и подъем решаем производить немедленно.

Выглядит Кот после отдыха неплохо, поэтому можно попытаться тащить его из пещеры по упрощенной схеме: Кот работает на подъем ногами, а Коля и Руслан подтягивают его вверх веревкой.

Подсоединяю самохваты Кота к тросу. Вщелкиваю трос в карабин грудной обвязки, чтобы не отбрасывало. В карабин, закрепленный на беседке, вяжу конец веревки, за который Кота будут подтягивать сверху, и командую:

– Начали не спеша! И раз! Пошел, родной.

Медленно, но уверенно Кот пополз по тросу, и через десять минут его приняли на выходе из колодца Руслан и Коля. Если так пойдет дальше, впишемся в план максимальной удачи.

От колодца к колодцу по щелям и завалам спасаемого вели два человека, закрепив в центре связки. Парня пошатывало, и я боялся, что вестибулярный аппарат у него здорово подпорчен. Людмилу очень тревожило то обстоятельство, что парень после падения потерял на какое-то время сознание: причиной могло быть сотрясение мозга. В этом случае пострадавший иногда выглядит вполне прилично, но в любую минуту может неожиданно умереть прямо на веревках.

На пятисотый метр поднялись через шесть часов. В нашей шикарной, очень теплой палатке пострадавшего перевязали, покормили и положили отдыхать, пока каменчане не вытащат груз злополучной группы, и Петя с Сашей не поднимутся вслед за грузом на четырехсотый метр.

На этом этапе развития событий самое интересное происходило в то время, когда веревка, на которой каменчане «спасали» мешки, переплелась с ходовым тросом. Лихие спасатели всю эту «бороду» дернули вверх и подняли огромный камень, за который трос отводился от вертикали в дальний конец зала. Чудовищный стометровый маятник тронулся с места и начал гулять по залу, круша все на своем пути. Вначале я бегал от него, чтобы не разнесло вдребезги, а потом бегал за ним, чтобы остановить и закрепить.

Наконец груз и товарищи Кота прошли стометровый отвес, а я принялся провожать пострадавшего в путь к солнцу. Не хочется вспоминать те минуты, когда я готовил парня к подъему у основания стометрового отвеса и вдруг почувствовал, что мы оба смертельно, по-животному трусим перед этой черной вертикальной бездной, которую Коту придется пересечь по тонкой струне троса.

Не дай, Боже, парень потеряет сознание или запутается в веревках! Господи, пронеси!

Подняли Кота сквозь стометровый колодец меньше, чем за час. В лагере у каменчан парня подкормили, дали отдохнуть. За это время подошли москвичи, хорошо, что их программа уже кончилась, и подняли пострадавшего на стотридцатый метр. Это в нашей пещере дно входового колодца, оттуда выдернуть человека пара пустяков.

Когда телефон донес до нас весть, что Кот прошел сто тридцатый метр, можно было заняться своими проблемами, а они у нас появились. У Людмилы после переохлаждения во время спасательных работ обострился ревмокардит (приехали!). Теперь мечта о Восточном Барьере еще на год останется мечтой. У нас осталась одна дорога – не торопясь, обратно на поверхность. И то, только после того, как приведем Людкино сердечко в относительный порядок.

Отдыхать так отдыхать. Когда после плотного перекуса и ароматного чая с курагой мы заползли в сухой теплый спальник и Людмила своим исхудавшим тельцем прижалась ко мне, чувства нежности и жалости острой горечью разлились по сердцу.

– Валерочка, расскажи сказочку. Может, усну.

– О чем, Людочка?

– Обо мне.

Пусть будет сказка о тебе. Заслужила. Еще один лопух благодаря тебе будет жить. Собираюсь с мыслями и, выдержав паузу, начинаю импровизировать.

В тех краях, где леса карабкаются по обрывистым склонам, цепляясь корявыми ветвями за тучи, где небо падает на землю холодными зеркалами озер, где мудрость ценится дороже славы, а слава дороже жизни, в полуразрушенном лавинами ауле жила юная дева и была она в те времена самым большим чудом мира.

Дивный, стройный стан, пышные пепельные волосы, профиль сказочной красоты и луноликий анфас с пикантной родинкой на смуглой щеке – это все уже было в других сказках, да и в жизни встречается, правда отдельными элементами и у разных дам. У нашей красавицы все это присутствовало в одном наборе, но кроме того, у нее были совершенно волшебные глаза. Стоило девушке взглянуть на юношу только один раз – и несчастный падал на колени с мольбой о любви. Но жестокая не знала жалости, и робость не рождала в ней сочувствия. Отвергала гордая красавица всех, и уходили в каменистую пустыню юноши, чтобы вдали от людей предаться своей безмерной скорби.

В те романтические времена люди были смелее нас, поэтому не переводились рыцари, рисковавшие посмотреть в ее пылающие волшебным светом глаза. В те суровые времена люди были сильнее нас, потому что вновь и вновь возвращались юноши в нашу сказку, чтобы на коленях молить о любви. В те далекие и загадочные времена люди больше нас любили жизнь, поскольку и в добровольном изгнании находили силы мечтать, не надеясь на лучшее.

Людмила затаилась на моем плече и, похоже, уснула. Слава богу. Ей сегодня досталось. «Мать вашу, недоразвитые энтузиасты! Какого лешего из-за вашей лени, технической отсталости, неуважения к своей и чужой безопасности должны калечиться лучшие из лучших?» – я попытался освободить затекшее плечо из-под Людкиной головы, но получил больно пальцем в бок, что значило «продолжай».

Весть о всесильном волшебном взгляде девушки, пролетев полмира, достигла нашего Героя. Он был настоящим мужчиной, поэтому оседлал коня и двинулся в путь. Он был великим воином, поскольку не нашлось преграды, которая помешала бы ему достичь цели. Герой был, несомненно, смел, потому что вошел в ее дом и заглянул в бездонную пропасть ее глаз.

Мужик обычно крепко держался на ногах, но тут его колени подкосились, он упал деве в ноги и вскричал:

– Что я должен свершить, чтобы ты полюбила меня?

– Такие вопросы не задают, – презрительно молвила красавица, – на такие вопросы не отвечают, – и отвернулась от рыцаря, – а если и отвечают, то чаще всего лгут.

Жестокая легким движением руки забросила на плечо край шитого золотом плаща и ушла в свои комнаты, плотно прикрыв за собой кованную медными полосами дверь.

Рыцарь вышел за порог и застыл в задумчивости у коновязи. Он был огорчен, но не сломлен, и мысль его была холодна:

– Девушка и впрямь очень хороша. Она стоит великого подвига и станет женой только могучего богатыря. И я знаю, что необходимо свершить, чтобы завоевать красавицу... Если пройти все дороги земли и все ее бездорожье, откроется черное бездонное ущелье. Только через это ущелье по смертельно опасной тропе, которую еще никто не прошел до конца, можно добраться до центра Земли. Там, в огромном зале, на малахитовой глыбе, растет чудесный цветок – «Сердце Земли». Я найду этот цветок! Я подарю его красавице! Она станет моей!

Парень был герой из редких, поэтому прошел все дороги земли до конца. Герой очень любил жизнь и сквозь смертельный ужас чудовищного ущелья проломился к центру Земли. Там, среди чудес прекрасных лазурных галерей, в коралитовых лесах, поросших бериловыми мхами, он отыскал чудесный цветок «Сердце Земли», нежно греющий человеческую мечту полихромным топазовым светом.

Герой протянул свою могучую руку к цветку, зажал в твердой ладони хрупкий опаловый стебель и рванул на себя.

Горы мучительно вздрогнули и затихли, но парень не заметил этого. Очень крепким мужиком был наш Герой, поэтому и вышел из подземного мира уверенно, мощно, по-богатырски. Удачлив был парень на редкость, и обратный путь не стал его могилой. Умел юноша добиться своего в жизни, и сказочный подарок открыл ему сердце красавицы. Она приняла цветок, подала герою руку, и глаза ее погасли…

– Вот и все. Понравилась сказка?

Людмила помолчала, а потом спросила ехидно:

– Так кто здесь я, по-твоему? Девица с родинкой и паршивым характером? Рыцарь-пещерный браконьер? Или его лошадь?

– Ты Сердце Земли, – ответил я, почти шутя и мое тоже, – добавил чуть погодя, уже всерьез: И моё тоже.

ЧАСТЬ II

СВЕТ НА ДНЕ КОЛОДЦА

Когда в жаркой Флориде душа стынет под грузом беспощадных лет, сажусь к компу и вспоминаю лучшие минуты жизни, которыми был богат и хотел бы с вами поделиться. Это помогает оставаться привычно прочным, а также быть полезным друзьям и семье.

1. КАК МЫ ИШАКА СЪЕЛИ

Люблю я, братцы, шашлыки! Ну как не любить вымоченное в хорошем пиве мясо, маринованное с крупно порезанным кружочками луком, заправленное оливковым маслом и прожаренное на древесных углях. А если к этому добавить салат из помидоров, охлаждённое до приличного состояния вино и любимую более сорока лет жену за столом напротив! Плюс всё это во флоридском феврале – лучшем месяце года – и под сенью выращенного тобой авокадо!

Что может быть прекрасней, даже если тебе далеко за семьдесят. Снимаем по-простому, руками, с шампуров ароматные, горячие, сочащиеся волшебным соком кусочки мяса, окунаем в домашний соус из сливового сока, аджики и чеснока, смакуем лично тобой сотворённое чудо и запиваем красным калифорнийским вином маленькими глоточками. И всё это под неторопливый душевный разговор:

– А помнишь, Люда, какие шикарные шашлыки мы ели в Гантиади? Спустились, помнится, тогда с Абхазских гор, выгрузились около вокзала. Перенесли рюкзаки и всё остальное на пляж, поставили палатки, назначили дежурных готовить ужин, а сами пешочком в центр города в шашлычную. По дороге во дворах у старушек вино крестьянское пробовали – ой как хорошо для неизбалованного желудка спелеолога. Пока добирались в шашлычную, душа согревалась, плечи разворачивались, взор орлиный, нюх собачий, зубы сверкают. А вот и она: просторный зал, столики без особого шика, но чистые, шашлыки прямо с мангала, посыпанные лучком и пиво в пол литровых кружках. Пиво, конечно, так себе, но после трёх недель в горах и недели в подземном лагере годилось и такое.

– А мне больше всего помнится, как мы ишака ели, – романтично закатила глаза Людмила к ещё не снятым после нового года гирляндам – Как он нас тогда выручил!

О! Это отдельная история. Обычно в те трудные для добычи тушенки времена мы запасались закрученным в банки мясом. Делали это обычно сами. Но в тот раз что-то не получилось и стали наши баночки вздуваться крышками и вонять прямо в поезде ещё по дороге на Кавказ. Попытка переварить мясо в вагоне-ресторане не удалась, и выбросили мы всё это в туалет, размазывая наши надежды на нормальное по тем временам питание по шпалам от Туапсе до Сочи.

Это был наш первый выезд на Арабику. Предыдущие пять лет мы «паслись» в Узбекистане на горном плато Кырк-Тау. Там у нас была пещера Киевская и ещё кое-что. Однако ездить в те края из Киева было далеко, да и не давали нам покоя спелеологические успехи москвичей на Бзыбском хребте Кавказа. Короче, и мы решили перебраться на Кавказ – вроде бы как поближе. Стали выбирать район и остановились на Арабике. До нас здесь работали красноярцы, потом куйбышевские ребята и непонятно чем занимались методом «дохлой кошки» грузинские карстоведы. Это значит – привязывали на конце верёвки спелеолога и спускали в колодец до тех пор, пока верёвка не кончалась или кому-то не становилось страшно. Замерив длину верёвки после того, как замученного исследователя извлекали на поверхность, добавляли для верности еще метров пятьдесят, чтобы поближе к рекорду, нарекали пещеру именем какого-либо известного учёного и шли пировать к пастухам в ближайший балаган.

К тому времени, когда мы собрались включиться в Кавказскую спелеологическую гонку, на Арабику никто особенно не претендовал, и мы решили попробовать свои силы здесь. Слава богу, после пещеры Киевской с ее километровой глубиной опыта и наглости хватало. Начали свою экспансию на Кавказ со сбора материалов, но их было негусто, да и не всегда раздобытые сведения были достоверными.

Оля, сестра моей жены, пришла с кухни с подносом варёной картошки, посыпанной жареным луком, послушала мои речи и своё добавила:

– Мою карту Арабики не забудь. Я ее ночью в клубе спелеологов МГУ скопировала. Васька принёс мне похвастаться на какую-то вечеринку и вздремнул маленько. Не знал, лох, что я сестра жены Рогожникова.

Карта была не ахти, но хоть что-то. С её помощью можно было найти дорогу в интересующие нас места. Кроме того, какие-то материалы дал нам Климчук, руководивший в то время спелеологическим отрядом в Институте геологических наук. Он же предоставил мне отпуск на путешествие с Горным клубом, поскольку в эти годы я трудился у него инженером.

Состав группы был разношерстным. Часть – несовершеннолетние школьники, на которых удалось получить хоть какую-то материальную поддержку от городской детской туристской станции. А основной состав – с хорошим спелеологическим опытом и достойными бойцовскими качествами – Коля Скотенко, Саша Бланк, Власюк, Таня Лебединец, Светка Босява и Женя Кислицын. Кто ещё участвовал, не помню. Если кто помнит, добавьте. Буду благодарен. Вторым руководителем у меня была моя жена Людмила, оставившая нашу дочь на попечение сестры. Слава богу, сёстры были двойняшками, а малолетней бандитке Александре было всё равно, кто ее воспитывает, – дело это было трудным и бесполезным.

Добирались мы в альпийскую зону на попутном лесовозе. Дальше была только крутая тракторная дорога. Поднимались тяжело – рюкзаки были перегружены, к тому же время от времени шёл дождь как из ведра с громом и молниями. Отсиживались на рюкзаках под полиэтиленом и снова ползли на перевал. Когда поднялись на хребет, распогодилось – и перед нами открылась долина Орт-Балаган. Древняя долина служила когда-то ложем леднику и спускалась уступами с юга на север между двух хребтов. Эти хребты замыкались на юге вершиной Берчиль. Спустились мы в долину, нашли пустовавший балаган и устроились в нём на ночлег, а получилось – до конца экспедиции. Уж больно хороши были места. Правда за дровами надо было ходить по крутому склону к лесу, а воду – добывать из талого снега, за которым приходилось спускаться в глубокую карстовую воронку.

Просушились мы слегка, переночевали с комфортом под крышей и с утра принялись разведывать местность. Нашли входы в пещеры Генрихова бездна, Куйбышевская, Воронья и Берчильская, разбились на тройки и начали спуски в холодные и обильно обводнённые талыми водами карстовые пропасти. Гидрокостюмов герметичных у нас не было, поэтому мёрзли мы в пещерах безбожно. Верёвок было не густо и изнашивались они быстро. Колодцы были глубокими и опасными. Отсутствие мяса в рационе питания тоже не радовало. Но нам повезло! Как-то ночью волки около Куйбышевской задрали старого ишака, съели внутренности, а мясом побрезговали. Но мы не волки, поэтому наши парни порубили погибшее животное на части, что-то закопали в снежник, чтобы не протухло, а лучшие куски перетащили в лагерь и начали их есть.

Осла было много, и ели мы его до конца экспедиции. Поскольку животное было староватo, то в колыбе костёр под вёдрами с кусками ишака горел круглые сутки. Первое мясо было готово через двадцать часов, но дежурные, недождавшись его, на ослином бульоне с горным чесночком сварили вермишелевый супчик. Супец получился наваристым и пошел на ура! Когда мясо было похоже на готовое, его срезали с костей и радовали душу истощённого постом народа, простуженного холодными пещерными ветрами. Слава богу, зубы были у молодёжи волчьи и аппетит отменный.

Пещера Генрихова Бездна поначалу не радовала. Входовой колодец – сто тридцать метров сплошного пролёта практически с поверхности – записка от сибирских спелеологов в туре, сложенном из камней, и всё. Но нет! Не всё! На южной стене колодца, на высоте метров в десять, виднелась полочка, за ней что-то чернело. Поднялся я скальником к полочке, и она оказалась не простой. Это был грот, а в западной его стене – дыра с форточку размером. Из нее дуло ветром так, что каску сдувало. В тот раз я сквозь эту дыру не смог просочиться, но через два года Тома Радченко, Феликс и ещё кто-то (напомните, братцы, кто) на полочке устроили маленький, но уютный базовый лагерь и начали щель расширять. Нагревали камни паяльной лампой, обливали водой, ковыряли зубилом, кувалдой крошили. Первым в «форточку» просочился Феликс и стал разбивать дыру с другой стороны до размеров небольшого окна, в которое смогла пролезть и Томочка. Так был открыт проход в продолжение Генриховой Бездны. Сразу за «форточкой» шла вниз система колодцев метров до 300 глубиной. Эту часть пещеры разведывал Саша Резников, Феликс, Томочка и ещё кто-то (Напомните кто). Собрался, помню, в следующем году в Герихову Бездну и я. Саша рассказал мне, что внизу всё забито щебнем, лезть туда не стоит, а он рекомендует от «форточки» траверсом пройти по стене над колодцем. Там что-то виднеется любопытное. Ну я и попробовал. Навесил горизонтальные перила над пропастью, вышел к противоположной стене колодца, нашёл систему крутонаклонных щелей, ведущих к сыпучему колодцу и дальше вглубь пещеры, к колоссальному стометровому отвесу по стене циклопичного зала. В более поздние времена Стефанишин с компанией по этому каскаду щелей и колодцев на километровой глубине нашел проход из Генриховой Бездны в Куйбышевскую, но об этом ему самому лучше рассказать. Было бы интересно почитать и Ташкины воспоминания о проходе из пещеры Детской в Генрихову Бездну (это ее школьники Детскую штурмовали). А о каскаде Ход конём я уже писал в рассказе «Два зеркальных пуани». Можете почитать, но верить ему более чем на пятьдесят процентов не рекомендую. Я там лишнего нафантазировал.

Но это всё было потом, а в описываемой мной экспедиции главным сюрпризом нас порадовала Куйбышевская. В ней на дне второго колодца Коля Скотенко, Людмила Лукьянчук и Женя Кислицын сняли записку из тура куйбышевцев, разбросали камни на дне воронки, нашли колодчик метров в десять глубиной, по нему спустились на полку и вышли к гигантской пустоте! Противоположной стены видно не было, дна и потолка тоже, а камень летел куда-то в бездну секунд пять. Колодец назвали Учкудук, но спуститься в него не хватало снаряжения, и это дело мы оставили на следующий год. Там потом уже Серёжа Кузьменко (Кузя) со своей командой «кувыркался» и дошел за километр в глубину пещеры.

Тут и мой внук Сашка на запах жареного мяса из своей комнаты выполз, от компа его только таким макаром можно было оторвать. Погрыз шашлычок, разговоры послушал и своё вставил:

– Дед! Я в сарае рылся и твоё древнее снаряжение нашел. Вам не страшно было на таком ходить? Смотрится, как дурная самоделка.

Отбрехался я от внука нашей совдеповской врождённой храбростью и своё продолжил. После третьего стакана калифорнийского, да с такой благодарной аудиторией вспоминалось легко.

– Побывали мы в этой экспедиции и в Вороньей. Прошли только первый колодец (Люда, Коля и Женя), сунулись в щель на дне, но не прошли – узковато, надо расширять. Сняли записку красноярцев, а вот тура грузинских спелеологов не нашли. Поэтому я по своей душевной простоте грузинское название этой пещеры не принимаю. Во-первых, потому что вспомнили они об Вороньей, когда она перевалила за полтора километра глубины, а во-вторых, не было их там на дне даже первого колодца! Да и людей у них таких не было, чтобы такой колодец одолеть. А именно с него и начиналась глубочайшая пещера мира, которую мы называли Вороньей, поскольку альпийские галки гнездились на этих скалах, а мы их воронами определили – уж простите нам слабые познания в орнитологии.

Залез я тогда и в Берчильскую. Дошел до большого колодца и оставил это дело на следующий год, – времени не хватало.

Тяжелая, но удачная получилась экспедиция, а загрызенный волками ишак достался нам вовремя и по делу. Может, поэтому и выдюжили.

Сидим мы с женой во Флориде, мясо смакуем и внуку рассказываем, как жеребёнка, сломавшего ногу на склонах Берчиля, пастухи пристрелили и нам отдали (более нежного мяса я не едал!); как волки бычка задрали, а Людка с девчонками под проливным дождём в гидрокостюмах отбивала у волков их добычу, поскольку мужики забастовали в грозу из палатки выходить; как коза в пещеру упала, и ее тоже пустили под нож как из подземных лагерей, в которые мы спускали попутным грузом жареное, варёное и вяленое мясо, доносилось по телефонной связи восторженное «Ура!», правда к концу экспедиции народ к свежатинке охладел («Не хотим мяса, тушенки и колбасы хотим!»); как старик – пастух зашел к нам в палатку, когда мы говядинкой с овощами пировал под спирт, так мы и ему налили, а он платок спиртом намочил, на голову повязал и шапкой накрыл так мол лучше вставляет. Я бы ещё рассказал, как барсука съел на плато Кырк-Тау, когда первый раз туда поднимался на разведку в одиночку. Потом напишу как-нибудь.

Классный вечер воспоминаний у нас получился. Жаль, что вас с нами не было. Разбросала жизнь киевских спелеологов по миру, только в Фейсбуке и встречаемся. И вообще жаль, что тех лет уже не вернуть. Спасибо, что были.

2. ЕЩЁ ОДНА НЕУДАЧА

Ранее утро чуть посеребрило росой траву и обещало хороший день, но народ в нашем трёхпалаточном лагере у лесного ручья, чуть южнее села Кудрицы, на Тернопольщине, ещё дрых, закутавшись в старые спальные мешки с головой. Организм у меня в те далёкие годы был молодой и способствовал встречать рассвет аки птичка, поскольку восстанавливался быстро. Поэтому просыпался утром я обычно легко, даже если засиделись у костра за песнями и сказками до третьего часу ночи. Выползал из палатки и орал благим матом обычное и беспощадное: «Подъём! Кто последний станет в строй, тот помоет всю посуду!» Прятаться от моего постармейского рыка было бесполезно, и из палаток появлялись невыспавшиеся мордашки представителей нашего поискового спелеологического отряда Киевского Дворца пионеров и школьников, в котором я тогда трудился скромным руководителем кружков.

С трудом в этот раз, но всё – таки раскачал коллектив на зарядку и лёгкую пробежку по окрестным лесистым холмам. Потом позавтракали, уже не помню какой, кашей, чаем с чабрецом запили и обсудили развод на работы. Вчера на гипсовом обрыве мы нашли пещерку с хорошей тягой воздуха, проползли узким низким ходом метров с десять и остановились, потому что потолок почти сомкнулся с песчаным дном. Но сквозняк звал вглубь массива, а мы ему верили. Поэтому группа из четырёх человек – Света Азанян, два брата Саша и Сережа Шевченко, с Кошей во главе – была отправлена раскапывать проход вглубь массива, где должна бы открыться необходимая нам новая пещера. Для себя я как «начальник» оставил лакомый кусочек работ: мне нужно с Наташей Корнет провести спелеологическую разведку бортов Збручанского каньона вдоль реки по тернопольскому берегу с возвращением в лагерь по хмельницкой стороне мимо гипсовых карьеров и средневековой Кудринецкой крепости.

Дежурить по лагерю мы оставили Сашу Стотланда по прозвищу Паганини за его умение играть на скрипке. Кто был у него вторым, не помню уже – дело было пятьдесят лет назад. Дежурить – это значило помыть посуду после завтрака, сторожить днём наши скудные пожитки от наглых коз и приготовить ужин для всех – считай, день отдыха.

Оказались мы в этих краях потому, что раньше здесь не были, да и держался я в те времена подальше от Тернополя – спелеологической столицы Подолья. Тамошние спелеологи меня не любили за наглость, поисковую активность и нежелание делиться с ними своими находками. Раньше тернопольчане относились ко мне более-менее терпимо, но после того, как в пещере Угрынь мы открыли два новых района и похвастались этим в газете, ревность взыграла, и стали они нас из перспективных мест выживать. Однажды даже и милицию привлекли – (Боря Максимов не даст соврать). Им это было как развлечение, даже песню про меня сочинили, чем я по сей день горжусь непомерно. Правда в те времена мне этакое было совсем ни к чему и причиняло некоторые неудобства (письма ругательные на работу писали). Поэтому добирались мы в Кудринцы автостопом через Каменец-Подольский, чтобы в Тернополе не светиться. Выбираться домой планировали таким же макаром.

Выпроводив не горящего трудовым энтузиазмом Кошу с командой на работу (в конце экспедиции все порядком устали), мы с Натали и сами побрели, не торопясь вдоль берега Збруча на юг. На другой стороне реки в гипсовом карьере завыла сирена и гулко бабахнул взрыв. Это добывали гипс для завода, изготавливавшего шлакоблоки и другие полезные вещи для строительства. Временами работяги вскрывали пещеры, но следующие за ними взрывы закрывали открытое, и искать там что-либо полезное для спелеологов было бесполезно и опасно, зато в отвалах встречались приличные куски оптического гипса, которые мы обычно подбирали для дворцовского музея.

Короче, идём мы с Наташей вдоль обнажений известняка и гипса по западному берегу реки, идём себе и песенку насвистываем:

Обгорев на кострах эмоций,
Мы по жизни шагаем упрямо.
Симпатичнейшие уродцы
С перевёрнутыми мозгами.

Уродцем я себя и сейчас не считаю. Разве только шея коротковата, живот колесом и морда не ахти, а в те далёкие времена так вообще был парень хоть куда. И Наташа считалась признанной красавицей в наших палестинах. Но песня была хороша, и шагалось под нее весело. Так себе и топали, озираясь по сторонам. А посмотреть было на что. С нашего западного берега хорошо смотрелся восточный борт каньона с его гипсовыми обнажениями, карьерами и железобетонными дотами времён Второй мировой войны. В одном из них через пару лет мы нашли колодец глубиной десять метров, а под ним – подземную галерею и горку снарядов для пушки. В другом доте на окраине села Завалье нашли и саму пушку в приличном состоянии. Позднее ее демонтировали и вывезли куда-то неразговорчивые парни в гражданском. На нашем правом берегу тоже было много забавного. Река Збруч петляла по дну каньона широкими меандрами, образуя где обрывы и крутые поросшие лесом склоны, а где обширные террасы, распаханные трудолюбивыми колхозниками. Пшеничку уже убрали, землю вспахали и пробороновали, вскрыв таким образом следы древних, ещё трипольского времени поселений. Я любил ходить по этим полям в поисках каменных топоров, керамики, наконечников стрел и копий. Частенько находил подобное, и радовало меня это безмерно, поскольку в детстве мечтал быть археологом, но не вышло.

Полями и вдоль обрывов добрались к Завалью, расспрашивая встречных о том, другом, третьем, ну и о пещерах тоже. Это часть поисковой работы, и она мне нравилась, поскольку местным диалектом я владел неплохо и люди со мной делились сведениями охотно. Места около Завалья были сказочно хороши, а два заброшенных гипсовых карьера на противоположном берегу смотрелись очень заманчиво. Мы стали искать брод. На переправе искупались в тогда ещё кристально чистых водах Збруча и перекусили сгущёнкой. Богата была в те патриальхальные времена река рыбой и огромными раками, но нам было не до них. По крутому безлесому склону поднялись к карьерам и нашли там пожилого мужика, пасущего корову:

– Добрый день, уважаемый! Дай бог вам здоровья!
– И вам того же.
– Люди говорят, что в ваших карьерах пещера была большая.
– Была, да ее оползнем в прошлом году завалило.
– А не помните где?
– Так вон там. Под обрывом.
– А что за дыра на скале в соседнем карьере?

– Бог ее знает! Туда никто не лазает. Без надобности оно нам. Да и опасно.

Потом мужичок поинтересовался, откуда мы, что ищем и сколько нам за это платят. Объяснили, как могли, но, скорее всего, он не поверил, что мы топчем землю за просто так. Немного о погоде с человеком погудели и о том, что когда-то на горе церковь была, но однажды после сильных дождей в пещеру провалилась. Может быть, и название села от этого произошло? Распрощались мы с пастухом и пошли место смотреть, где раньше вход в пещеру был. Под оползнем ничего не могли угадать, уж больно велик и обширен обвал. Поковырял я носком ботинка спёкшуюся на солнце глину и понял, что с таким грунтом и такими объёмами надо не лопатой сражаться, а бульдозером. В тот раз мы в пещеру не попали, но и без находок не обошлось. Подобрал я на склоне кусочек барита прозрачного и друзу голубого стронцианита, вывалившиеся из коры выветривания между гипсовой толщей и вышележащими известняками. В дворцовской коллекции пригодятся.

Полазили мы ещё малость по этому карьеру и пошли в соседний, который метров за двести северней. Там на отвесной скале дыра обозначилась. Приличная такая завлекушечка, издалека ее видать. Полез я, громыхая ботинками по камням, к ней, а потом метров шесть скальничком по отвесной стенке и забрался в дыру с горем пополам. Железных ступенек и швелеров на стене ещё не было. За мной ласточкой Наташа взлетела. Сильная девица и ловкая. Проползли чуток по ходу, в полный рост поднялись, фонари включили и еще метров семь прошли вглубь, а там – развилка. Прямо – глиняная высыпка, направо – тупичок, а налево – грот пошире и повыше. Зашли в него – вроде как тоже тупик. Но нет! В правой стене над упавшей плитой дыра горизонтальная, широкая, но низкая, частично глиной заполненная. Заполз я на эту плиту до того места, где глина с потолком смыкались, и увидел между глиной и каменной плитой щёлочку, а из нее холодный пещерный воздух еле-еле пробивался. Это уже интересно! Порылся в глине ножом, расширил чуток щель, и тяга усилилась. Надо как-нибудь приехать сюда и покопать. Там должно быть что-то, если повезёт. Зарисовали в блокноте план пещеры, нарекли дыру, не особо фантазируя, Завальевской и стали из нее выбираться. Спускаться по скале всегда опасней, чем подниматься, особенно если верёвки нет. Но сдюжили – не первый раз.

В лагерь добрались к вечеру голодные как собаки, а там ужин: ведро киселя и полведра раков. Паганинчик, автор этого ужина, объявил нам: «Ешьте кисель с раками». Это прозвучало весьма двусмысленно. Делать нечего, перекусили тем, что было, поскольку был конец экспедиции и с харчами у нас, как обычно, было негусто. Потом присели у костра и стали информацией обмениваться. Коша рассказал, что в той дыре, куда я его послал, прокопали метров с пятнадцать-двадцать и выползли на поверхность выше по склону. Тяга оказалась сквозной. В других пещерках в окрестностях Кудринец тоже облом. Плюнули на всё это и пошли на Збруч раков ловить. Потом я рассказал о карьерах в Завалье и поделился планами на будущие экспедиции:

– Думаю, на весенние каникулы приехать большими силами и хорошенько покопаться в пещере на скале.

– Опять рыть? – сокрушенно вздохнул Саша Шевченко. – Когда же нам что-то толковое подвалит?

– Обязательно когда-нибудь повезёт, - авторитетно заявил я. – Ведь сама длинная пещера в мире ещё не открыта. Самая глубокая пропасть на земле еще не пройдена. И самая красивая пещера ждёт нас.

Такие дела. Хотелось бы и самому в это верить, перешагнув через усталость, ну а пока Саша Паганини подстроил гитару и зазвучало:

Опять неудачи ночами судачат,
Судачат у красных глазков угольков.
Пусть дома за нами немного поплачут,
Ведь мы уезжаем копить неудачи…

Вот такая грустная история с географией. Не первый и не последний раз возвращаемся домой в Киев ни с чем. Опять невезуха? Мы ещё не знали, что сегодня нашли входы в замечательную, трёхэтажную, с огромными белоснежными кристаллами, любимую нами пещерную систему, которую назовут Атлантидой.

3. КРЕВЕТКИ И АТЛАНТИДА

– Япона мать! Александр! Ты не мог бы чуть притормаживать на поворотах! Я памперс забыл одеть!

Сашка слегка усмехнулся на привычную шутку:

– Не верится, что такое может испугать дремучего спелеолога. Я думал, ты не умеешь бояться.

– Умею, мой юный друг. Кое-чего до смерти.

– Например? – удивился внук.

– Боюсь умереть от скуки...

– Ты, дед, весь в меня. Я тоже этого не хочу, – ответил бравый юный водитель и так вписался в очередной поворот, что пришлось схватиться за поручень, чтобы не влипнуть в дверь нашей машины.

Вот таким образом мы с внуком примчались на Блэкберн-Пойнт, чтобы сбежать на пару часов от семейства, а заодно половить шримпов (по-нашему, креветок).

Шримпы во Флориде – это национальное блюдо, их можно добывать самыми разными способами. Например, можно купить в супермаркете, правда там дорого и продают их обычно размороженными после заморозки, а это не то удовольствие. Можно купить с траулера, занимающегося ловлей шримпов профессионально. Эти креветки вроде подешевле, но не для настоящих мужчин, как мы с внуком. Можно пройтись с сеткой по водорослям в проливе между материком и островами. Тоже не наш путь, хотя сетку мы имеем, но не пользуемся – не спортивно для нас. Мы ловим креветок сачком на мелях между островами и в темноте, присвечивая фонариком. Днём креветку сачком хрен поймаешь – ее, полупрозрачную, в воде на фоне водорослей не видать, а вечером, когда совсем стемнеет, у нее глаза светятся. Вот за этими глазами охота и идёт.

Лобстеров, близких родственников креветок (у нас – омаров), ловить веселее днём. Они большие – хвост с ладонь величиной, полосатые и не такие вкусные, как шримпы, но дороже. Их ловить удобней всего в маске с трубкой и с ластами на ногах. Можно – просто руками, а лучше – специальными щипцами и крючком из камней выковыривать. Можно и подводным ружьём подстрелить, но это тоже не спортивно и карается законом. Мы лобстеров сегодня не ловим, потому что в наших краях их нет. Говорят, что когда-то были, но перевелись. Омаров мы обычно ездим ловить южнее на острова. Туда часов пять езды. На северных морях в Канаде лобстеры величиной с ногу, мы там бывали, но с такими не встречались – глубоко нырять и вода ледяная. Не встречались, а мечталось. Ох как мечталось!

Сегодня мы припарковали машину около заветного местечка на острове между двумя мостами и начали одеваться. Сашка натянул на себя резиновый костюм с сапогами, а я – шорты купальные и кеды с толстыми носками. На голове у нас фонарики, в одной руке сачок с длинной ручкой, а в другой – пластиковое ведёрко с дырочками в стенках и с крышкой на пружинке, (такие в любом рыбацком магазине продаются, по десятке за штуку, для переноски креветок или мелкой рыбёшки, которую используют как приманку на рыбалке; я такие на гараж – сейлах (распродажа) по доллару покупаю).

По крутой тропинке спускаемся с берега к воде и включаем фонари. Полная луна света для ориентирования между островами даёт достаточно, но глаза шримпов от ее лучей не светятся. Для этого нужны неслабые фонари, и они у нас есть. Заходим в воду и идём на север вдоль берега подальше от обитаемых мест. Вначале ничего не попадалось, но когда вышли за пределы третьего острова в заросли невысоких водорослей – понеслось. Креветки только варёные на боку мирно лежат, а живые, они очень подвижны и пользуются своим хвостом как двигателем очень ловко. И вперёд, и назад плывут, и даже прыгают, поэтому если одну из трёх поймаешь, то уже хорошо. Размахиваю сачком, как косой, спотыкаюсь об сростки раковин, проваливаюсь в ямы, нарытые, рыбами для своих гнёзд, но что-то получается, и уже с десяток креветок в моём ведёрке плавают, норовя выпрыгнуть, когда я дверцу поднимаю, чтобы очередную скотинку в плен взять. У внука тоже охота идёт удачно, наловил он более крупных, но если по штукам считать, так штук у него меньше. Вдруг Сашка вскрикнул и стал как-то смешно на месте прыгать, в резиновых штанах рукой шаря. Спросил я его:

– Что случилось, парень?

– Тут одна мне в штаны запрыгнула

– Иди на берег раздеваться.

– Попробую здесь достать. Ура! Достал! Ох! Из рук вырвалась и сбежала.

Короче, наловили креветок, по килограмму на брата, а могли бы и крабов ещё набрать. Синих крабов в водорослях много, а в норах каменные прячутся. Синих можно брать целиком, а каменным по закону разрешено только одну клешню оторвать, а самого следует отпустить. Я и Сашка любим в нору руку запустить и тащить родимого на расправу, но сегодня не сезон.

И ещё в здешних реках раки есть, дальние родственники шримпов, но очень мелкие – с палец. Помню, как в Украине на Збруче ловили раков с лобстера величиной. Ну, может быть, чуть поменьше... Зато ведро за день! А потом с пивом около пещеры Атлантида съедали. Пиво было в те времена так себе, зато раки деликатесные. И пещера замечательная. То-то были времена – есть о чём погрустить. В этом году ребята в Украине пятьдесят лет со дня открытия пещеры празднуют. Хотелось бы к ним: у костерка помечтать, пивка попить, песни старые попеть, да семейные проблемы не пускают. И далековато, а с деньгами у пенсионера не густо...

Ходить долго между заросшими кустами островов, конечно, занятно, но пора и домой. Шримпов выгружаем в ведро с крышкой и запускаем электрический насос, который в воду воздух гонит. Нам нужны креветки живыми на наживку для завтрашней рыбалки – начался сезон морского красного окуня. Королевская, скажу я вам, рыба!

Грузим машину, переодеваемся – и в обратный путь.

– Япона мать! Александр! Ты не мог бы чуть притормаживать на поворотах?

4. ЗАБЫТЬ

Пещера километровой глубины была подарена нам спелеологическими богами за годы поисков и неудач. Колодцы-пропасти в этой пещере перемежались узкими длинными щелями, гроты были богато украшены сталактитами, а на дне светилось бирюзой бездонное замечательное озеро. И что очень важно, это была первая километровая пещера в нашей стране, поэтому вокруг ее названия, очерёдности прохождения и определения глубины были нешуточные «бои» и интриги. Я обязательно напишу книгу об истории исследования этой пещеры и назову ее «Украденный километр», потому что у нас украли возможность дойти до дна самим, без «помощи» тех, кто не имел на это права.

Только вот кое о чём могу забыть. Имею право забыть!

Мы (это я и Коша) вышли из грязного узкого пещерного лаза с лихим названием «Путь к коммунизму», громыхая резиновыми сапогами. Были мы порядком подуставшими, но ещё очень даже в форме. В достаточно хорошей форме, чтобы не озаботиться дискомфортом предстоящего восхождения по вертикальной стене метров шестидесяти высотой, обильно сдобренной дождём. Это таким образом неслабый пещерный ручей распылялся падением в колодец. Наша порция мешков с пещерным скарбом, который надо бы поднять через этот колодец и на пару уступов выше, была уже свалена на дне. Осталось подтянуть груз поближе к верёвке и начать вытаскивать по вертикали вверх. Только не свершилось в этот раз, поскольку картинка на дне колодца нас неприятно «удивила». На камне сидела Ксюша и плакала. Рядом топтался и дрожал от холода ее напарник и друг по жизни Сашка. Похоже, он пытался девушку поднять и подтолкнуть к верёвке. Видно было, что обычно боевая двойка спелеологов, посланная мной на топографическую съёмку ответвлений в пещере с четырёхсотого по шестисотый метр глубины, чувствовала себя не лучшим образом и нуждалась в помощи.

– Что с тобой, красавица? – присаживаюсь на корточки перед девицей – Тебе плохо?

– Я боюсь, Иваныч! У меня не хватит сил на этот колодец.

Понятненько. Бравая двойка, видно, задержалась в пещере по каким-то причинам, (а их в этой гигантской пещере обычно хватало).

Девушка устала, подмёрзла и сидит на дне колодца, надеясь на помощь бога или кого-либо еще. Ребята в двойке были прочные и почему заторчали тут, мне было непонятно. Скорее всего, тормознулись, пропуская спасательную группу к пострадавшему.

Шесть часов тому назад закончились спасательные работы с томичём Возниковым. Тащить его пришлось с шестисотого метра на поверхность. Переохлаждение и вся морда в зелёных соплях. Не рассчитал сил «выдающийся спелеолог», герой учебных всесоюзных лагерей на Кавказе. Наша пещера оказалась ему не по зубам. А ведь пришлось его взять на штурм, как «усиление команды».

Забыть о нём! Забыть об этом накачанном сопляке! И чего нам стоило его спасение. Забыть!

Ребята, спасавшие Возникова, ещё спят. И даже если их разбудить, раньше чем через несколько часов, к нам не спустятся. А к этому времени созреет ещё одно переохлаждение или что-либо похуже. Будем выкручиваться собственными силами. Пока они есть.

– Как ты себя чувствуешь, рыцарь? – обращаюсь к Сашке, который нашему приходу видимо рад и готов сбросить заботы о своей даме на мужиков покрепче.

– Нормально, Иваныч. Только промок и замёрз.

– Сейчас согреешься. Коша, будешь сопровождать этого покорителя пещер на выход и не стесняйся выделить ему пинок покрепче, если вздумает отключаться.

Выдаю Сашке пачку глюкозы и плитку шоколада (это ему должно помочь вернуть силы) и отправляю пацана наверх. Парень пристраивает самохваты на верёвку и быстро, как паучок, по стене уходит вверх. Хорошо я их всё же выдрессировал! За ним степенно так пошёл Коша. Он у меня с пятого класса в группе. Мощный мужик вырос. И надёжный. За этих парней у меня голова болеть не будет, а вот с красоткой придётся немного повозиться. Странно всё-таки. В ней я был уверен на все сто. Прочная девочка.

Помогаю Ксюше снять обвязку и беседку, усаживаю на ремни, вынимаю из сумки большой кусок импортного фольгированного полиэтилена, укрываю девицу и разжигаю на камешке пару таблеток сухого спирта. Под полиэтиленом сразу становится жарко. В консервной банке нагреваю воду, засыпаю какао, размешиваю варево и одариваю горячим сладким напитком страдалицу. Нужно согреть ее изнутри. У меня таких девиц и парней старшего школьного возраста немалая группа. С ними я открывал эту пещеру и за них меня москвичи трижды дисквалифицировали. Мол, не по Сеньке шапка с такой командой в глубочайшие пропасти Советского Союза ходить. Впрочем, когда всесоюзная экспедиция, штурмовавшая через год нашу пещеру, стала зашиваться с подъёмом снаряжения, тогдашний шеф не постеснялся попросить у меня помощи, и мои пацаны выбросили снарягу с пятисотого метра на двухсотый запросто, поскольку и пропасть знали не понаслышке, и к пещерному холоду привычны были.

Забыть об этом всём! Незачем помнить грязь и подлость всесоюзных экспедиций. Забыть!

Час интенсивной тепловой терапии – и девица потихоньку пришла в себя. Собираю барахло импровизированного пункта отогрева, помогаю одеть ремни, веду к верёвке – и тут опять начинается:

– Боюсь! – слёзы ручьём, лицо осунулось и побледнело, руки дрожат.

Уговариваю кое-как. Пристёгиваю ее самохваты к верёвке и подталкиваю. Три метра Ксюша проходит и зависает мешком. Понимаю, что сама она этот колодец в таком состоянии не пройдёт. Надо помочь. Цепляю и свои самохваты на верёвку. Подхожу к девушке по верёвке снизу, пристраиваю ее бёдра себе на плечи и начинаю подъём. Вначале Ксюша просто висит у меня на плечах, потом начинает помогать руками. И эту шестидесятку мы-таки одолели. К выходу из колодца девушка пришла в себя окончательно и на уступ выбралась уже сама.

Забыть! Забыть эту острую боль в ногах и руках. Забыть страх перед бездной, которую необходимо победить с непосильной ношей на плечах. Забыть!

Дальше уступы пошли по мелочам. Двадцатку и несколько уступов по десять-пятнадцать метров Ксюша прошла сама. Я за ней еле успевал. Видно, оклемалась красавица и спешила к солнцу. И, наконец, ранним утром мы вышли на поверхность земли. Девушку тут же окружили заботой подруги и уволокли в палатку мыть, лечить, кормить, а я побрёл к своей палатке сам. Надо было разоблачиться от всех своих мокрых, грязных резиновых доспехов и пропахших потом шерстяных одёжек; кое – как привести себя в порядок и подготовить следующую группу к заходу в пещеру. Там ещё осталась большая куча снаряги и километр грязной тяжёлой верёвки, которую следовало спасать – всё это стоило денег, и для нас немалых. Наконец собираю добровольцев среди не слишком потрёпанных жизнью спелеологов, отправляю группу в пещеру и иду отсыпаться. Азиатское горное солнце беспощадно, и спать в палатке днём невозможно, да и шумно в лагере. Поэтому пристраиваюсь дрыхнуть на каримате в тени каменного уступа поодаль от палаток, подложив под голову свёрнутую куртку и укрывшись простынкой из парашютного шелка, чтобы мухи не донимали.

Просыпаюсь ближе к вечеру. У изголовья сидит Ксюша и грызёт соломинку. Увидела, что я проснулся, и улыбнулась, блеснув очаровательной ямочкой в щеке:

– Спасибо, Иваныч. Вы меня спасли!

– Да ладно тебе, красавица. Ты бы, и сама вышла. Просто испугалась бездны, а это бывает от усталости или холода.

Девушка отвернулась от меня и о чём-то задумалась. Ох, как хороша она была в свои шестнадцать на фоне пламенеющих в закате гор! Да и я был тогда, помнится, высоким голубоглазым мачо, известным авантюристом и пожирателем дамских сердец.

Когда солнце почти скрылось за горизонтом, Ксюша опять повернулась ко мне:

– Иваныч, вы подождёте, пока я стану взрослой?

А я увидел в ее глазах: «Или не будем ждать?»

Но я стал ждать. Я не мог поступить иначе. И вот уже жду пятый десяток лет. У Ксюши взрослые внуки, а у меня правнучка уже третий год в школу ходит.

Забыть! Забыть слёзы в ее глазах. Забыть!

Вместо эпилога:

– *«Яныч! Вашу новеллу прочла. Если откровенно, то начало новеллы замечательное, как будто видишь все в деталях и взаправду: серьезные горы, серьезная пещера, а дальше должна быть такая же серьезная ситуация и ее разрешение. А получается мелкая неприятность, какие-то слезы, вообще непонятно почему. Нет настоящего мужчины и руководителя, сдержанного, сильного и мудрого, а есть его испуг за ситуацию, злость и обида на ту, которая его подвела. И ещё мне кажется, что в такие пещеры случайных людей не беру – себе дороже. Так что тут читается просчет руководителя, а это уже нехорошо. Да и девицам ехать в горы, подниматься со снаряжением в 60° жары, спускаться на значительную глубину в пропасть неинтересно, на то они и девицы. А женщина в таких экспедициях всегда друг, товарищ и брат. Поднимайте женщин, а не опускайте их. Мужская самодостаточность именно в этом. Мне так кажется. Ваша Красавица».*

– «Привет, Наташенька! Ты считаешь, что Иваныч был не прав в свершившейся экстремальной ситуации в пещере? Просчёты руководителя я ему прощу. Вся его жизнь состоит из мелких и крупных просчётов. Не было бы их – не случилось бы и множества приключений на его тощую попочку, а приключений у него хватало. И как он выкарабкивался из них, понятия не имею. О сильных женщинах я уже писал, и не однажды, как и о сильных мужчинах. И многие другие тоже успели использовать эту тему. А в моей новелле я хотел написать о силе женской слабости и слабостях сильных мужчин. Тоже не очень новая тема. Но мне так захотелось, после одного из откровенных писем женщины, которой мечталось казаться сильной. Поэтому, если этот подход тебя коробит, я изменю имя девочки. Кстати, с годами слабость Ксюши в описанной ситуации мне кажется недостаточно очевидной. Возможно, это была невинная инсценировка? Но изменить жизнь, какой я ее тогда видел, мне уже не по силам.

С искренней симпатией. Твой старый добрый Яныч».

5. САГА ОБ УКРАДЕННОМ КИЛОМЕТРЕ

Книгу об украденном километре я так и не написал, а хотел было, но передумал. Обошелся рассказом, который вам представляю. Этого достаточно, чтобы понять самого себя и рассказать вам ранее неопубликованное о КИЛСИ.

Еду я как-то с внуком откуда-то и куда-то в поисках приключений. Чтобы скоротать время, рассказываю ему о том, что случалось со мной в моих отчаянных путешествиях подземными мирами.

– Дед! Сложно всё это, много новых слов, но крайне интересно, и ты так забавно обо всём рассказываешь. Почему я раньше такого от тебя не слыхал?

-Рассказывал, и не раз. В начале нашего с тобой знакомства, полтора десятка лет тому и потом десять сверху, ты впитывал в себя информацию, не задумываясь о содержании и смысле. Потом ты ушёл в познание себя. Это тоже заняло порядком времени. А сейчас ты учишься видеть мир таким, какой он есть, и слышать его потайные мысли, неведомые многим людям. Это мудрость стучится в твоё сердце. Я тоже когда-то прошёл этот путь, мне есть что вспомнить и пришло время многое понять.

Об Илюхине, или закон стаи

Познакомился я с Владимиром Валентиновичем Илюхиным бог знает в какие года, лет пятьдесят с лишним тому назад, на каком-то сборище в Москве. Всесоюзная спелеологическая секция при центральном совете по туризму набирала обороты в своей работе. К тому же при ней была задумана маршрутно-квалификационная комиссия (как и в других видах туризма), и об этом следовало поставить в известность спелеологическую общественность страны. Меня на этот семинар командировал Украинский совет по туризму как одного из организаторов Украинской спелеосекции, для того чтобы хоть кого-нибудь отправить, поскольку вызов был, а людей с большим спелеологическим опытом в Киеве ещё не было. На меня Илюхин, почти двухметрового роста доктор наук (или ещё не доктор, но уже почти), великий авторитет в тогдашней спелеологии, представляющий любителей пещер нашей страны за рубежом, и всё такое прочее, произвёл могучее впечатление. Хотелось засучить рукава, поучаствовать в организации спелеологического движения в Украине и искать новые пещеры под чутким руководством самого Илюхина. Но не тут-то было.

Первый звонок о неудавшихся хороших отношениях с Владимиром Валентиновичем прозвучал после моей экспедиции в район Воронцовских пещер на Кавказе. Кто же знал, что Илюхин на них тоже глаз положил, но на пару недель опоздал. Очень-то ему было неприятно после нелёгкой разведки по заросшим ежевикой горам увидать на входах в эти пещеры и ещё на нескольких других в округе нашу марку КДП и Ш (Киевский дворец пионеров и школьников). В самой Воронцовской нам не удалось сделать что-либо серьёзное, но в пещере Долгой мы нашли обход первого сифона, потом второго и сделали качественную по тем временам топографическую съёмку. Отчёт мы отослали в Москву, отзыва не дождались, а при личной встрече Володя смерил меня взглядом и отозвался о нашей работе не ахти как хорошо. Короче, не показался я ему – и не взял меня Илюхин в свою стаю. Да к тому же актив спелеологического общества уже сформировался, и новички ему были не нужны. Об этом я догадался следующим летом на Кавказе, когда с Томой Крапивниковой попытался устроиться слушателем на сбор инструкторов. Помнится, это было на Красной поляне — есть такая турбаза в Краснодарском крае.

– Тебе, Валера, надо бы пройти сначала спелеолагерь первого года обучения, вещал мне Илюхин, глядя поверх головы – потом второго года, заработать стажерство – и только после этого ты сможешь приехать на сборы подготовки инструкторов.

– Таким вот лихим образом Илюхин отправил нас в свободное плавание, слегка униженных и порядком оскорблённых в святых чувствах. Остаток командировки мы с Томой провели в Абхазии в пещере Голова Отапа у грузинских пещерников. Это была экспедиция грузинской академии, и два украинских спелеолога с опытом топографической съёмки лабиринтов Подолии оказались им не лишними. Была у грузинских пещерников такая практика – привлекать к своим развлечениям спелеологов из других республик, желающих поработать в пещерах за харчи, поскольку самим им было не с руки заниматься подобной ерундой, и вообще отвлекало от дегустации шашлыков.

Другой бы на моём месте не стал заниматься спелеологией в Илюхинском туристском варианте, но я закусил удила. Конечно, продолжил поиск и разведку пещер как дикарь, но, кроме того, принялся искать способы поднять официальную квалификацию себе и своим воспитанникам – нужны были дотации. Первый год обучения и первое стажерство сделал я себе у Пантюхина в Крыму. Второй год и второе стажерство сотворил в Московском городском спелеолагере на Кавказе. А инструктора получил уже в Красноярске, сдав экзамен экстерном. Но это инструкторство, которое очень ценилось в наших кругах, свершилось гораздо позже, когда мы покорили первый в стране километр к центру Земли. Правда путь этот оказался не прост, поскольку мудрости было у нас не много, денег тоже не ахти, зато смелости и наглости, прости господи, более чем достаточно.

Украденный километр

Главные сложности в нашей спелеологической судьбе начались с открытия в Средней Азии колоссальной по тем временам пещеры Киевской. В эту пещеру мы вошли восторженными романтиками, а через четыре года вышли законченными циниками. Вначале мы назвали ее КИЛСИ, что было аббревиатурой названия Киевская лаборатория спелеологических исследований (была у нас такая при городском клубе туристов). Официально руководил лабораторией кандидат геологических наук старший научный сотрудник института геологии Ломаев. Деловые же и экспедиционные вопросы решал я, да активно участвовали Климчук (в те года ещё школьник), Яблокова, Крапивникова, Стотланд, Гойзман и многие другие. Мы бредили большими открытиями, романтикой дальних путешествий, мечтами о самой глубокой, длинной и красивой пещере в мире. Пещеру КИЛСИ переименовали Дублянский с Илюхиным в Киевскую – (есть такая нехорошая привычка у спелеологического начальства). Мы с этим смирились, и как оказалось не зря. Таким образом честь открытия этой уникальной по тем временам пещеры закрепилась за киевлянами навсегда. Первые сотни метров в Киевской мы прошли на лестницах, но поняли, что это тяжело и не рентабельно. Пришлось коренным образом менять технику, и следующую сотню, метров мы уже штурмовали, используя две верёвки – по одной шли на самохватах, изготовленных во Львове, а за другую страховались.

Всякая серьёзная инициатива в те годы должна была быть наказуема, что и нас не миновало. Лиха беда начало - первая моя дисквалификация от Илюхина случилась после пятисотого метра в Киевской в 1973 году, когда появилась перспектива рекорда страны. Илюхин не мог допустить, чтобы какие-то дикари из Киева сделали это, и наказал меня запретом несколько лет руководить экспедициями. Дисквалификация была по тем временам заслуженной, поскольку часть «первопроходимцев» в свободное от спелеологии время ещё посещала школу, но это нас не остановило. Я передал формальное руководство моей воспитаннице Томе Крапивниковой, и мы продолжили свои приключения в следующем году. Нам везло – мы дошли до семисотого с лишком метра, пещера шла дальше в глубину, и за это поплатилась Томочка запрещением руководить спелеологическими экспедициями на всю оставшуюся жизнь или чуток поменьше (не помню точно). Больше желающих и достойных получить в голову от Москвы среди киевлян не нашлось, поэтому мы стали искать руководителя на стороне. Вначале мы попытались найти поддержку у спелеологов Московского университета, имевших опыт работы на Снежной, и даже поехали на Кавказ в их спелеолагерь, чтобы повысить свою официальную квалификацию. Кроме того, не мешало поближе познакомиться с ребятами перед штурмом. Но трагический случай в Кабаньем провале с москвичом Сашей Петровым сорвал эту попытку. Тогда я обратился к томскому спелеологу Чуйкову, и тот согласился возглавить нашу совместную экспедицию в Киевскую. У Чуйкова были хорошие отношения с Илюхиным, опыт участия во всесоюзных сборах, и таким образом экспедиция запросто получила статус всесоюзной, что для многих было не просто.

Чёрный ворон

Нелёгкая получилась экспедиция. Чуйков и его друг то ли Боздриков то ли Воздриков привезли десяток симпатичных девочек и парней с опытом прохождения вертикальных пещер до четырёхсот метров глубины, хорошего врача и разнотипные верёвки неизвестного происхождения, одна из которых лопнула под весом человека. Слава богу, там было невысоко, и парень не очень пострадал, но был порядком испуган. Да и остальным это не придало уверенности. Потом из порванного контейнера вывалилось зубило и, пролетев метров десять, упало на руку киевлянину Вове Баранову. Вова был прочный парень, не дал организовать спасательные работы и вышел на поверхность сам. Спасибо ему за это. Чем глубже опускались мы в пропасть, тем проблем было больше, и дежурной песней у нас стало «Чёрный ворон, что ж ты вьёшься над моею головой. Ты добычи не добьёшься, чёрный ворон, я не твой». Но самое интересное нас ждало за семисотым метром. Штурмовая группа экспедиции, которой было предназначено пройти на максимальную глубину, состояла из четырёх киевлян и двух томичей. Короче, один из томичей скис: завис на верёвке в колодце под водопадом и получил переохлаждение. Этому способствовала неудачная конструкция томских самохватов, которые то скользили, то клинили на верёвке. Спасаловка была, вроде бы, не сложной. Спустили мужика на дно колодца, который оказался ему не по силам. Накрыли большим листом полиэтилена. Примус разожгли и поставили к нему под укрытие, чтобы максимально быстро согреть. Сварили кофе и напоили страдальца. Притащили запасные самохваты львовского производства и, когда мужик пришел в себя, отправили наверх в ближайший подземный лагерь, правда с двумя сопровождающими и подтягиванием страдальца верёвкой. А времечко тик-так... Резервные сутки накрылись медным тазом – и пришлось штурм прекратить. Как потом оказалось, в шаге от последнего колодца. Спасательные работы, чтоб они были неладны, даже несложные всегда требуют много сил и времени. Были и потери. Пришлось бросить палатку, надувные матрасы и намокший спальный мешок. Лагерь было жаль, но надо было спасать человека и верёвки – главное богатство спелеологов того времени. Если бы мы погрузили их в мешки и стали тащить таким образом с уступа на уступ, количество мешков всё прибавлялось бы и прибавлялось, пока не стало критическим. Сил и времени у нас на всё это уже не хватало, надо было что-то срочно придумать и спасать положение. Выручила моя буйная фантазия. Я отправил Чуйкова и ещё одного парня сопровождать пострадавшего на четырёхсотый метр, где его уже ждал врач. Остальных расставил по уступам. Связал верёвки в одну гирлянду, и мы потащили ее на поверхность, прибавляя на каждом колодце ещё по две веревки. При этом двигалась только гирлянда, с несколькими привязанными к ней контейнерами, а спелеологи работали, стоя на уступах. Два километра грязной и мокрой верёвки – это большой вес и много работы, но мы справились, благодаря такому нехитрому методу. Подняли груз на трёхсотый метр. Там нас сменила вспомогательная группа, и мы свободным ходом пошли на поверхность, где наши дамы встретили нас цветами. О, боже! Какие замечательные девушки любили нас тогда! Как мы любили их! Не меньше, чем нашу пещеру. Правда, мы были помоложе, поздоровее и хватало нас на всё…

Штурм глубочайшей пещеры страны кончился в конце концов благополучно, рекорд Союза был у нас в кармане и радовал своим здоровьем то ли Боздриков, то ли Воздриков, бродивший по лагерю и убеждающий всех, что и сам, без нашей помощи, выбрался бы на поверхность. Конечно, можно было бы и упрекнуть руководителя экспедиции, который, по существу, нами не руководил, но я не буду. По-хорошему следовало посочувствовать Чуйкову. Ведь киевляне проходили эту пещеру поэтапно, год за годом, с малой глубины до рекордной, меняясь сами и совершенствуя технику, а томичи, кроме Илюхинских лагерей и сборов, не имели своего достойного глубинного опыта. Короче, на дно пещеры я в этот раз не попал, хотя очень хотелось.

Скрижали

Крымская экспедиция под руководством Пантюхина прошла пещеру до дна, но мы в их штурме не участвовали. Там и без нас хватало сильнейших спелеологов страны, которыми мы тогда ещё не считались. Илюхин, конечно, попытался было тормознуть и эту экспедицию, но Пантя не тот человек, которого можно было остановить.

– Победителей не судят! – заявил крутой Пантюхин и нарушил запрет МКК идти глубже семисотого метра в связи с возможным землетрясением.

На дне Киевской мне побывать-таки хотелось, поэтому через год я и Саша Резников пристроились поучаствовать во всесоюзную Илюхинскую экспедицию. Нам желалось побывать на дне, а Илюхину не помешали бы ребята, хорошо знающие пещеру. В эти времена наши взаимоотношения с Владимиром Валентиновичем изменились до нормальных – он умел быть обаятельным и обязательным. В экспедиции Володя поручил мне и Саше гидронивелирование. Устройство прибора было нехитрым. Длинная пластиковая трубка, наполненная водой, присоединена к манометру. Манометр укладывался на пол пещеры, свободный конец трубки поднимался к верхней части измеряемого участка, и показания стрелки должны были фиксировать превышение одной точки над другой. По задумке Илюхина мы должны протестировать прибор на поверхности, а потом сделать измерения в пещере. Ребята мы были не слишком умные, но исполнительные, сделали всё порученное добросовестно, но получили огромные погрешности, связанные с тем, что в пещере температура была гораздо ниже, чем на поверхности. Это не могло не сказаться на точности измерений. Параллельно велась какая-то съёмка и традиционными методами. Цирк с гидронивелированием пришлось в конце концов прекратить, но Илюхин слово своё сдержал, и мы с Сашей на дне побывали. Перекурили на берегу озера на тысячном метре, помыли сапоги, погрустили о том, что сами два года назад не дошли всего один колодец до дна и начали выход из пещеры. Правда, чтобы на обратной дороге толком отдохнуть, для нас спального места в подземном лагере на восьмисотом метре не нашлось, а дремать в уголке палатки, завернувшись в полиэтилен, нам было не привычно, и Саша предложил:

– Пошли, Яныч, на пятисотый метр. Может, там в лагере есть местечко.

В этом лагере тоже спать было негде – всё было занято. Мы перекусили колбасой и салом, запили это дело кофе и пошли на поверхность к солнцу. Сами считайте: с восьмисотого спустились на тысячный, потом поднялись опять на восьмисотый, а оттуда экспрессом к солнцу... И ни хрена – выскочили как ни в чем не бывало. Пещера – то родная – поддержала, как смогла. Отсыпались уже в своём лагере, в котором нас ждали наши школьники и студенты, их в пещеру не пустили из-за их низкой официальной квалификации.

Через два дня вызывает меня через посыльного Илюхин в свой лагерь:

– Валера. Загибаемся мы с выемкой снаряжения. Куча контейнеров с верёвками на пятисотом метре, а сил больше нет.

Такая же хохма, как и у Пантюхина в прошлом году. Они кровью изошли, спасая снарягу. Слишком много получилось мешков. Ты можешь со своими школьниками поднять груз на сотню – другую метров? Мужики не успевают восстановить силы, и мы можем опоздать на самолёт.

– Сделаем!

Нырнули мы с пацанами в пещеру и рассыпались по уступам. Я опять связал верёвки в одну плеть, мешки со скарбом повесил через каждые сто метров, и пошла гирлянда вверх как по маслу.

Прощались мы после экспедиции с Илюхиным по– дружески:

– Ты теперь, Валера, у нас в скрижалях.

Только вот скрижали эти мне уже не пригодились. Сместили Илюхина с поста самодержца всей спелеологии страны, а новое начальство было весьма либерально и к нам настроено благодушно.

Арабика

Последний раз я встретился с Илюхиным на Арабике в полуразрушенной колыбе в карстовой долине Орто-Балаган. Сидел я за кособоким столом, рисовал на большом листе бумаги схему долины, заодно время от времени помешивал в котле на костерке варево из мяса, задранного волками в горах осла. Все остальные участники экспедиции в это время кувыркались на Куйбышевской и в Генриховой Бездне что-то измеряли. Меня в лагере оставили дежурить и плов варить. Вдруг появляются на пороге два огромных мужика в комбинезонах и резиновых сапогах – Володя Илюхин и его верный паладин Олег Падалко. Вот уж кого не ожидал встретить в этих заброшенных спелеологами местах, так это их! Приветствую, усаживаю, наливаю чай в кружки, режу сало и халву – короче, проявляю гостеприимство, но без торопливости. Не принято это у таких дикарей, как я.

Ильюхин посмеивается:

– Надоело мне об тебя, Валера, спотыкаться. Везде ты успеваешь со своими школьниками.

– Повырастали мои школьники. Новых набрал.

– Как успехи? Что-нибудь приличное нашли? и покосился на мои бумаги.

Секретничать мне было лень, да и ни к чему. У Володи наверняка есть копии отчётов красноярцев. И я пододвинул ему свой лист миллиметровки, на котором была изображена долина Орто Балаган с пометками входов, найденными нами пещер:

– Красноярцы и Куйбышевские оставили здесь кое – какие марки на скалах. Мы по их пещерам ходим и новое что-нибудь для себя ищем – мощная тяга воздуха из всех щелей. А вы где остановились?

– Мы только вчера в горы забросились. Стоим на краю леса. Хотели, было, здесь поискать, но, видно, опоздали. Пойдём дальше. Как полагаешь, стоит?

– Думаю, что мужики на Арабике только по верхам прошлись. Если толком порыться, то в этих краях можно что-то солидное найти, как на Кырк-Тау. Или поглубже, как на Бзыбском хребте.

– Сюда сейчас мало кто ходит. Народ больше на Бзыби рыщет – к рекордам Снежной тянется. Нам там делать нечего. Будем здесь искать. Надеемся на удачу. Ты, если что, не дай боже, случится, только свисни. Придём и поможем. На Абхазских спасателей надежда не велика. У них нет глубинного опыта.

– Спасибо. Мы к вам тоже, если надо будет, подскочим. Аптечка у меня мощная и Людка, моя боевая медсестра, хорошо подкована. Станете лагерем – сообщите, где.

Ушли мужики, а я сложил свои бумаги в папку. Пора было рис в котёл засыпать, ведь скоро мои студенты с разведки вернутся. Я ещё не знал, что сегодня Коля Скотенко, Людка Лукьянчук и Женя Кислицын на дне Куйбышевской разобрали завал и вышли к двухсот – метровой пропасти. Огромной пропасти – луч фонаря до другого края колодца не добивал, а камень, брошенный вниз, где-то там об стенку стукнулся и сгинул в бездне.

Поставили лагерь вчерашние повелители спелеологов в соседнем, через один, троге (трог – древняя ледниковая долина) – и открыли там огромную пещеру, которую после смерти Володи Илюхина назвали Илюхинской. Не отобрали у кого-то, как было принято в те времена, а открыли сами, за что им почёт и уважение. Мы остались на Орто-Балаган, у нас пошли в глубину более чем на километр Куйбышевская и Генрихова бездна, которые потом Стефанишину удалось соединить в одну систему. А позднее в

Вороньей мои воспитанники взяли глубину более двух километров. Абсолютный рекорд мира!

Размышления и мечты

Вот такая получилась у меня история об украденном километре. Смогли бы мы самостоятельно дойти до дна Киевской и подарить миру километровую пещеру, которых было в те далёкие времена не густо? Конечно, смогли бы, если бы нам дали время. Это мы доказали через несколько лет на Арабике. Но в пещере Киевской в Средней Азии у нас первый в стране километр украли дважды. Первый раз – когда не дали дойти до дна самостоятельно. А второй – когда неизвестно по какой причине и на каком основании объявили, что пещера чуть-чуть недотянула до километра.

Помогли ли в наших поисках пещер Илюхинские учебные лагеря, разработанная им техника и Маршрутно-квалификационные комиссии? Наверное, нет. В лагеря мы приезжали, чтобы не научиться чему-либо, а подтвердить свою реальную квалификацию. Брезентовая техника под Абалакова в пещерах работала кое-как, а на больших глубинах не работала вообще – нам приходилось самим экспериментировать и искать новые пути. Требования Маршрутных комиссий мы как отъявленные дикари обычно игнорировали, за что были неоднократно и формально справедливо дисквалифицированы.

Знатоки упрекнут, что, мол, в моих воспоминаниях мало дат, имён, да и вообще не всё так было или всё было не так. Может, они правы, а может, не в цифрах и именах правда. Написал я о том, что осталось в моем спелеологическом сердце, а жизнь у меня получилась длинной, и не всё имело такое важное значение, чтобы помнить. И вот сижу я с удочкой на берегу Мексиканского залива, рыбки и крабики щиплют босые ноги в воде, облачка высокие и чистые, ветерок под мою пальму заглядывает и листьями над головой шевелит так привлекательно. Хорошо – то как, если тебе далеко за семьдесят, а ты ещё можешь получать от этого удовольствие! Прихлёбываю ледяное пиво из запотевшей бутылки и почтительно так о нашем прошлом размышляю. Кто такой Илюхин и что мы такие? Илюхин, я полагаю, это часть нашей былой спелеологической жизни вместе с ее ошибками и победами, и забыть его – всё равно, что забыть самих себя молодых, дерзких, беспечных и удачливых. Он был с нами суров и был необходим нам, чтобы мы научились жить без нянек. И ещё, чтобы мы не забывали о том, что главное в нашей пещерной жизни, а что шелуха фальшивой позолоты медалей. Это я о Володе. А о нашей пещере, как и что? Кончилась ли история покорения Киевской? Думаю, что нет. Я надеюсь дожить до того времени, когда киевские спелеологи нырнут сквозь мутные воды озера на тысячном метре пещеры, пройдут, шурша длинными ластами над илистым дном, под сводами огромного сифона к его дальнему берегу, разрушат плотину, и мощный поток воды рухнет в очередной, чудовищной глубины колодец, открыв путь к следующему километру. Хочется верить, что такие парни найдутся…

6. В МОНТАНУ ЗА САПФИРАМИ

Собрались мы как-то с внуком Сашкой в Монтану за сапфирами. Это от нас из Флориды через всю Америку по диагонали ехать. Если туда-обратно, то 5000 миль или больше. Как получится. Не малое путешествие.

Техасские топазы

Не торопясь, подготовили машину, погрузили всё что нужно для длительной поездки по пустыням и горам, а строгая Сашкина бабушка Люда (наш банкир и главнокомандующий по воспитанию внука) на прощание проверила у Сашки домашнюю работу от школы на лето и заявила: «– Пока всё не доведешь до ума, не поедете».

Мне тоже случилось задание перед выездом. Загнали меня на дерево и насобирал я там два ведра манго. Дерево у нас большое, всех плодов я конечно не снял (белки, птицы и еноты остаток урожая помогут собрать, сбросив плоды на землю, а бабушка подберёт те, которые не вдребезги разобьются). Кроме того, родственники из Буффало обещались приехать. А там пара молодых парней – большие любители по деревьям лазить. Вот и они помогут. Почистил я снятые с дерева плоды (они у нас крупные и очень сладкие), порезал, упаковал в герметичные пакеты и заложил в морозилку –

будет чем зимой лакомится и на подарки хватит. Компоты из манго получаются просто сказочные, а вот варенье варить мы ещё не пробовали, а надо бы, может получиться хорошо. Внук в своей комнате убрал так, как он это обычно делает: забросил валяющиеся на полу носки и трусы в корзину для белья, удочки расставил по углам – и хорош. Короче, выполнили мы с Сашкой всё, что выпускающие в путешествие женщины заказали, а я даже в доме канализацию прочистил (с крыши, через специальные трубы), чтобы, не дай боже, не случился потоп.

Выехали, как обычно, рано утречком и к двенадцати ночи пересекли границу Техаса.

Баба Люда возмутилась по телефону:

– Дальнобойщики, япона мать! Вон как рванули из дому на свободу!

Искать гостиницу в столь поздний час уже не имело смысла, и мы решились спать в машине на площадке отдыха около десятой интерстейт. Таких «умных» оказалось в сотне машин разных типов и возрастов. Между машинами бегали оголтелые детишки мексиканского обличия, в туалетах царила непривычная для нас грязь, а около железобетонных столиков под навесами рылись в мусоре пара енотов, опоссум, похожий на гигантскую крысу, и одичавшая кошка. В общем, бардак редкий, и это удивительно для Америки.

Техас расположен на середине страны, так что пути от одного океана к другому и обратно идут через него. Кроме того, отсюда начинаются дороги на север в сторону Канады, на юг к Мексиканскому заливу и в других направлениях по диагонали. На многих дорогах площадок отдыха не густо, и наша для небогатых путешественников – последний шанс до утра вздремнуть в безопасности и с относительным комфортом.

Дикой живности в Техасе, как и везде в Америке, много, ее всюду достойно охраняют, поэтому на столбах висят таблички «Берегитесь ядовитых змей, не сходите с пешеходных дорожек». Как – будто нас предупреждают, а на самом деле в этом штате (да и во многих других) здоровье змей в приоритете. Ну мы, конечно, не стали испытывать судьбу и бродить по окрестностям, а опустили спинки кресел и рухнули в сон. Устали, значит.

Рано утречком ещё до рассвета я проснулся и разбудил внука. Он умылся, а я к тому же побрился, вставил челюсти на положенное протезистом место, проглотил первую порцию таблеток, и мы вырулили по хайвею в сторону Хьюстона. Сашка тут же опять уснул, а я утешился прекрасным местным кантри из приёмника. Умеют они это делать в Техасе.

Хьюстон – город большой, через него машиной час переться, и то если без заторов. Дышать автомобильным перегаром в пробках не хотелось, поэтому мы свернули с хайвея на дорогу к городку с любопытным названием Анахренас. Вообще-то я здесь здорово облагородил название, чтобы дам не смущать. Заинтересовался внук таким топонимическим феноменом, прогуглил и выяснил, что здесь было древнее поселение племени Навахо, а название переводится на доступный язык, как «мне уже сорок, и копьё моё сломалось». Грустная история! Видно, трудно жили в те времена индейцы. Сейчас им живётся не в пример лучше, но они временами страдают по тем благословенным временам, когда никто не запрещал им снимать скальп с ещё живого врага. Ну, короче, свернули мы около этого посёлка на объездную дорогу, минули кое-как стороной Хьюстон и поехали в сторону Сан-Августина.

По хайвею хорошо большие километражи делать, но много со скоростного шоссе не увидишь и не всегда свернёшь, где хочешь, поэтому мы с внуком любим по малым дорогам шастать. Так лучше Америку видать, да и была у нас ещё одна толковая информация – за Сан-Августином в невысоких горах есть места, где можно найти топазы. Фермеры за небольшие деньги разрешают любителям ходить по их полям и искать вожделенные камни на распаханных землях. Американских топазов у нас в коллекции не было, а хотелось иметь.

Добрались мы к заветным местам к обеду в самую жару. У фермеров сиеста – и слава богу, поскольку мы не большие любители платить деньги за то, что можно взять без оплаты. Сверились с картой, свернули с семьдесят первой вест на неширокую горную дорогу между «топазовыми» полями, проехали милю и стали шарить в кюветах.

Дорога эта отсыпана местным щебнем, пыльная, но вполне проходимая даже для нашей шоссейной машины. Вверх-вниз. Вверх-вниз. Как по гигантским волнам. Пейзаж обалденный! Вокруг

Техасский буш и куэсты, как в кино. Бесконечные холмистые ранчо вдоль дороги, лошади, овцы и огромные коровы с метровой длины рогами прячутся в тени невысоких, с редкой листвой деревьев. И грифы парят на огромной высоте («Лишь только стервятник, старый гриф – стервятник знает, что по чём!»). Того и гляди, появятся размахивающие лассо ковбои и вооружённые допотопными ружьями бандиты. Не появились. Видно, сидят под кондиционерами с крутыми блондинками на коленях и с банками ледяной колы, по доллару за штуку. А нам и без них неплохо. Жарища, правда, офигенная – под сорок на солнце, но мы парни флоридские. Нам по барабану, да и влажность низкая, поэтому горячий воздух нас не смутил. Тем более, что удача не подвела, и вскоре мы нашли первый топаз с палец величиной.

– Дед! Ты уверен, что это топаз? Очень на кварц похож.

– Смотри на излом, где кристалл на материнском габро крепился. Излом у него пластинами, а у кварца раковистый. Да и царапает камень кварцевые обломки запросто. Твёрже он намного. На, попробуй!

Испытали мы образец, как могли, повопили от восторга и поняли, что тактика наша себя оправдала. Пусть новички платят деньги и потеют на полях, сражаясь с колючками. В этих кюветах вдоль дороги после каждого дождя отмывается камней на хороший музей. Тут и кварцы, и топазы, и бериллы, и гранаты. Нужен только зоркий глаз и везенье. Пару часов бродили мы вдоль дороги и нашли с десяток приличных образцов, а больше нам и не надо было. Не по нраву нам торговать камнями, а в доме, итак, места для них маловато. Кроме того, дело шло к вечеру, и пора было думать о ночлеге. Вырулили опять на семьдесят первую и поковыляли на запад в сторону Нью-Мексико. По нашему графику, ночевать мы должны были там.

В Америке чётные номера дорог ведут вдоль параллелей, нечётные – поперёк. Но наша семьдесят первая ведёт нас по диагонали на северо-запад через маленькие техасские городки со старинными салунами, рынками скота, ратушами и очень современными школами.

Дороги здесь хорошие, но и по ним ездить с моим внуком не легко:

– Дед! Здесь скорость не больше шестидесяти. Не гони! А тут обгон запрещён. Нельзя в этом месте поворачивать на красный свет. Ты что «Стоп» не видишь? Правила не для тебя написаны?

– Американец грёбаный! Япона мать! – возмущаюсь я. Зануда, конечно, Сашка, но работу штурмана знает хорошо. Блудим мы мало и умеем объезжать заторы на дорогах, где они случаются. А это дорогого стоит.

Техас – после Аляски самый большой штат в Америке. Здесь всё очень большое, поэтому ехали мы остаток дня и начало ночи. На границе с Нью-Мексико чуть в лобовую не столкнулись с какой-то машиной, но об этом я в другой раз расскажу. Потом в космической звёздной темноте часа три блуждали в горах Гваделупо, пока нашли кэмпграунд в Собачьем каньоне. Лишних миль пятнадцать намотали. Горы там безлюдные, кроликов в этих горах миллионы, много оленей, встречаются медведи и пантеры, но мы, слава дороге, ни с кем не столкнулись и никого не задавили. В кэмпе зарегистрировались, оплатили за постой с положенной мне как пожилому человеку скидкой, поставили нашу палатку и заночевали. Спали как убитые. Горный воздух способствовал.

Мексиканские бриллианты

Проснулся, я по своему обычаю, рано утром, высунул свою побитую жизнью физиономию из палатки, протёр глаза и обалдел. Так мне и надо! Не зря в такую даль припёрся. Огромные скальные стены каньона взлетали в розовеющее восходом небо. Редкие, тысячелетнего возраста деревья крепко держались корнями на древних крутых складках горных пород. Деревья радовали глаз изумрудом хвои, золотом стволов и неряшливыми гнёздами белоголовых орлов. Под стеной обрыва в зарослях журчал ручей, и взбрыкивала в бочагах радужная форель. Что-то бодро и жизнерадостно верещали неведомые мне птицы в кустах. Было холодно. Как для меня, флоридского жителя, таки точно холодно. Выполз я из палатки, сбегал как бы для сугреву к туалету и обратно. Сварил на газовой плите кофе, с трудом разбудил и выгнал из теплой палатки Сашку. Пора было выезжать из этого горного рая посреди бескрайних прерий – на сегодня у нас большие планы.

Первым делом посетили местную достопримечательность – водопад. Это ещё тридцать миль по горам, но для бешенной собаки и такое не крюк. Тем более, что не пешком. Водопад смотрелся хорошо. Речка вытекала из пещеры, которых в этих горах много, и падала со скального уступа в озеро. В этом озере местное население купалось, и мы тоже в него окунулись. Сашка сам залез, а меня пришлось уговаривать. Ленив я стал с годами, да и вода холодновата, а камни скользкие.

– Давай, деда! Смелее! Вода не холодная, чистая. Ныряй!

– Брррр... Ух! Япона мать!

Озеро как озеро, но вот стена, с которой вода падала, меня впечатлила. Это был огромный известняковый туфовый натек. Каскадный! Если кто помнит туфовую площадку перед Красной пещерой в Крыму, так здешний натек раз в сто выше и шире. И не удивительно. Здешние пещеры Карлсбадская и Лючигия известны всему миру красотой, длиной, глубиной и огромными объёмами, а они тут не одиноки. Правда я о них уже рассказывал и повторяться не буду. Судя по размерам натёков известняка, вынесенного из пещер, речка была когда-то приличной рекой, но ее то ли разобрали на снабжение скота и орошение, то ли река эта появлялась во всей мощи только весной во время таяния снегов. А может, и то, и другое, и что-нибудь ещё третье.

Короче, «покувыркались» мы в Гваделупских горах, спустились к прериям и по 285-ой норд заехали в городишко Розвэлл. Для здешних пустынных мест – большой населённый пункт, известный музеем внеземных цивилизаций и мировым центром изучения следов пришельцев на Земле. Тут рай для уфологов. Пришельцы и их летающие аппараты всех размеров в виде макетов и чучел украшают автозаправочные станции и главные улицы города, но нам они были ни к чему. Пару лет назад мы были здесь, посетили местные достопримечательности, и увиденного хватило, чтобы перестать в пришельцев верить. Это всё для простаков, а сегодня Сашку интересовали Розвэлловские бриллианты.

Южнее и восточнее города под пустыней раскинулись обширные нефтяные поля, поэтому местность утыкана буровыми вышками и качалками. Вонь несусветная, пыль в полнеба от машин, гружённых трубами и бочками. Жарища, как в Сахаре! Ад на Земле! Но вдоль дорог на отвалах красно-бурой глины можно найти кристаллы кварца, заточенные природой с обоих концов и покрытые молекулярной толщины плёнкой окиси титана. Эта плёнка и придаёт кристаллам алмазный блеск. Такой же, как у Мармарошских диамантов, которые мы когда-то искали и находили в Карпатах. В своё время хитрые мексиканцы продавали эти «бриллианты» белым лохам, и стороны расходились страшно довольные как друг другом, так и ценой камней. Несмотря на жесткие условия, мы всё же нашли несколько кристаллов, но потом решили, что дальнейшие поиски не стоят потерянного здоровья и покинули изгаженную нефтедобычей часть планеты.

Едем себе не спеша, Сашка о чём-то думает, даже телефон в сторону отложил, а потом спрашивает:

– Дед, а что будет с этой территорией, когда выкачают всю нефть?

– Думаю, что такую землю в первозданное состояние уже вернуть невозможно. Город Розвэлл, скорее всего, оставит после себя в пустыне только ржавые громады развалин нефтеперегонного завода, руины церквей и музея внеземных цивилизаций. Лет через двести наши потомки будут проводить здесь археологические изыскания и гадать, что это было такое огромное и чем оно занималось.

Вернувшись из недр нефтяного апокалипсиса, мы свернули на дорогу 380-ую вест и порулили к здешним горам. А они до трёх тысяч метров высоты. Горы здесь пустынными не назовёшь, поскольку воды в них много, и индейские посёлки вдоль дороги мелькают один за другим. В одном из посёлков мы остановились около магазина камней и выторговали у хозяина пару симпатичных аметистов. Их в горах добывают индейцы и сбывают через магазины сувениров. Кстати, очень дёшево. Такие же с двух сторон заточенные аметисты с титановой оксидной плёнкой у нас во Флориде продают по десятке за штуку, а мы заплатили по доллару. Самим искать эти камни в незнакомых горах не имело смысла – месторождения были не богатыми и хранились в секрете от чужаков, вроде нас.

Мы с внуком – охотники за камнями. Я уже не совсем геолог – многое позабыл в эмиграции, а кое-что потеряло для меня значение. И внук мой тоже не специалист в минералогии. Ему только четырнадцать лет, и он собирается учиться на врача. Таких, как мы, в Америке много. Даже специальный сайт существует и книги издаются для каждого штата, где и что можно найти любителям камня. Конкуренты наши, япона мать. Понимаете ли.

Дорога не утомляла, поскольку мы никуда не спешили, останавливались в живописных местах, к тому же прочёсывали антикварные магазины и лавочки, торгующие камнями. Была у нас с внуком такая общая слабость. Правда покупали немного. Больше смотрели и болтали с продавцами о местных достопримечательностях. В городке Линкольн, приткнувшем свои старинные домишки у подножия горы Капитан, в сувенирном магазине симпатичная индианка рассказала нам, что миль через сто на нашей дороге есть большой магазин камней. Там можно приобрести не известный в природе минерал тринитит, который образуется только при взрыве атомной бомбы. Такое, конечно, было любопытно, и мы порулили в места, где в прошлом веке американскими военными производились испытания атомного оружия.

К вечеру добрались к интересующему нас магазину, расположившемуся у дороги хуторком на границе гор и пустыни. Магазин был уже закрыт, но хозяйка жила за ним в своём доме, вышла к нам и открыла торговый зал. В самом магазине и около него под открытым небом на грубо сколоченных столах и полках лежало много разнообразных образцов минералов и горных пород. Были и шарики тринитита (по двадцать долларов за грамм), смахивающие на шлак из котельной моего школьного детства. Помнится, такими шариками мы стреляли из рогатки. От этого «сокровища» попахивало туристским лохотроном. Дурят нашего брата – камнелюба бессовестно. Кроме того, цены и на остальные камни были раза в два больше, чем во Флориде. Осмотрели мы витрину с местными минералами (там были замечательные синие флюориты), поболтали с продавцом и собрались, было, на выход, но хозяйка, увидев, что теряет клиентов, рассказала нам о своём карьере в горах. Там можно было найти много всякого интересного таким знатокам как мы, и за двадцать долларов с человека она отдаст нам карьер на весь день. Александр весь аж вспыхнул желанием! Синих флюоритов у нас в коллекции не было. Да и вообще, это большая редкость как в музеях, так и в природе. Поэтому мы договорились, что приедем завтра в девять утра, и порулили в ближайший город Сакорро устраиваться на ночлег в гостиницу.

Синие флюориты

Гостиницу мы нашли через интернет, соблазнились небольшой ценой и обещанным завтраком, да и пора было отдохнуть где-то в условиях, приближённых к домашним. Хотелось отмыться от бивуачной грязи, поваляться на мягкой постели и посмотреть местные программы по телевизору. Мне последнее было ни к чему, а вот Александр без телевизора комфорта не понимает. И без телефона под подушкой тоже засыпает плохо. Бедное, почти двухметровое, американское дитя!

Телевизор в номере был, но кондиционер так шумел, что глушил этот прибор информационной поддержки. Впрочем, принять душ и выспаться нам кондиционер не мешал – устали порядком, блуждая по пустыням и горам. С завтраком нас обманули, не было обещанного брекфеста. Но мы расстроились не очень – знаем мы эти ихние завтраки. Кофе и бутерброды купили в ближайшем супермаркете и отлично перекусили на природе, пока утренняя прохлада не сменилась адской жарой.

К девяти утра были у магазина, торгующего камнями, но, кроме собак, нас никто не встретил. Агрессивные и крупные собаки облаяли машину и нас, как неродных. Поскольку из машины мы выйти не рискнули, Сашка по телефону разбудил хозяйку, та вышла к нам, причёсываясь на ходу, и загнала собак во внутренний двор.

В офисе женщина выдала нам карту подъездов к карьеру, сказала, что деньги возьмёт, если мы благополучно вернёмся, и попросила оставить ей мои водительские права «это чтобы мы с добычей не слиняли, не рассчитавшись). На прощанье пожелала удачи и добавила:

– Там штольни есть заброшенные. В них не ходите. Опасно и законом запрещено.

Первые две мили дорога была щебнистая, но приличная. А вот дальше – мама не горюй. Александру пришлось идти перед машиной и корректировать движение нашего привыкшего к асфальтовым покрытиям авто. При переезде через высохший ручей Сашка чуть не наступил на ретлснейка (американский вариант гремучей змеи). Здоровая животина была. Метра полтора длиной и с руку толщиной. Хорошо, что змея этим утром не была злобной и уползла в заросли, укоризненно покачивая кончиком хвоста с погремушкой. Потревожили мы ее покой, значит.

С трудом доковыляли мы к карьеру и стали добычу искать. Что-то нашли, но мелочи. И тут я вспомнил, что хозяйка магазина о штольнях говорила. А они, родимые, вот рядом чернеют входами. Фонарей у нас в машине хватает. Подобрал я светильник помощнее и полез в штольню, а Сашка как законопослушный американец в крик:

– Это противозаконно! Там опасно!

– Ага! Сейчас! Испугал старого спелеолога опасностью и законом!

Короче, когда я в штольню залез, то понял, почему хозяйка отговаривала ходить в нее. Там были и синий флюорит, и зелёный, и фиолетовый, и барит, и галенит, и оптический кальцит (исландский шпат), и лазурит, и малахит. И всякое другое. Шестьдесят три наименования. Набрали мы полные закрома, вернулись в магазин, показали хозяйке образцы, которые победней, забрали моё водительское удостоверение и стали прощаться. А она нам и говорит:

– В Сакорро, в городе, где вы ночевали, при университете самый лучший в Америке минералогический музей. Бесплатный, кстати. Посмотрите обязательно. Не пожалеете! А схему подъездов к карьеру, пожалуйста, верните.

Схему мы, конечно же, как порядочные парни вернули. Она нам ни к чему. Я ее скопировал. Кроме того, у Сашки в телефоне есть фотография карьера и координаты тоже записаны. Только вряд ли в ближайшее время мы в этих местах появимся. У нас другие планы.

Минералогический музей в Сакорро был выше всех похвал. Часа два мы бродили по его залам и восхищались красотой камней, там выставленных, но вот синего флюорита такой чистоты, как наши, не нашли. Ура!

Правда золото Нью-Мексико (как самородное, так и рассыпное) было показано на редкость разнообразно. Удивительно хорошо были представлены минералы Украины и других бывших советских республик (бериллы, топазы, алмазы и прочее). Видно, вывозили их в последние двадцать лет все, кто мог. Кроме нас, была в музее семья начинающих русскоязычных охотников за камнями, с которыми мы немного пообщались, и кое-что посоветовали. В книжной лавке при музее мы купили книжку о камнях Монтаны, распрощались с приветливыми смотрителями и поехали дальше.

По шестидесятой вест перемахнули через горы Магдалины на обширное и плоское, как стол, плато Сан-Августин к Национальной радиоастрономической обсерватории. Это, конечно что-то с чем-то! Здесь воочию ещё раз видишь всю техническую мощь и богатство американской науки. Представьте себе крестообразно расположенные четырехрельсовые пути, каждый длиной в двадцать миль. На этих путях стоят огромные круглые антенны радиотелескопов высотой с десятиэтажный дом. Таких телескопов десять на каждой ветке. Их можно передвигать по первой и четвёртой рельсам на гигантских железнодорожных тележках. Когда надо, они перемещаются при помощи специальных циклопических тягачей, двигающихся по второй и третьей рельсам. Тягачи эти подползают под антенны снизу, цепляются за специальные балки и перетаскивают сооружение, куда астрономам нужно. Это чтобы изменить настройку на изучаемую галактику. И вся эта «машинерия» не просто работает, но и развивается! В будущем таких антенн планируется двести, и я верю, что их построят. Побродили мы между антенн и посетили туристский центр при обсерватории. Там посмотрели фильм о строительстве, работе и развитию этого научного монстра. Потом ещё один фильм о ближайших галактиках и экзопланетах (каюсь, слегка вздремнул – уж больно удобные кресла и кондиционеры не шумят). Перед отъездом купил Сашке замечательную ветровку с изображением космической антенны, и порулили мы дальше.

В очередных горах нас накрыло грозой, потом градом. Для Сашки это было особо радостно. Град до нашей поездки он видел только по телевизору. Ему вообще в этот раз везёт – в каком-то горном посёлке в магазине Сашка купил недорого редкую блесну на большую морскую рыбу. Этой блесне рад был парень безмерно и тут же принялся по телефону хвастаться перед друзьями – рыбаками. Как в этом магазине океанская блесна оказалась и в чём ее ценность – ума не приложу!

Ехали, вроде, хорошо, смотрели на горы, разговаривали о жизни, пока не появилась связь. И Александр тут же уткнулся носом в телефон. Дорога была монотонной, по сторонам – поросшие мелким лесом холмы без конца и края, я заскучал и запел:

Обгорев на кострах эмоций,
Мы по жизни шагаем упрямо.
Симпатичнейшие уродцы
С перевёрнутыми мозгами.

Голосом меня бог не обидел, а со слухом – беда. У Александра слух замечательный, и он возмутился:

– Деда! Замолчи! Не даёшь сосредоточиться.

Тут возмутился я:

– Как ты смеешь так с дедом разговаривать? Достал своим хамством!

Внук тоже поругаться не дурак. Весь в маму.

– А ты своим пением достал! И какого лешего в штольню полез? Американские законы не для тебя? Зачем невинного парня заманил? С таким воспитанием меня не только в Гарвард, а и в нормальную тюрьму не примут. Только в каторжную!

Так слово за словом и поскандалили, пока мне не надоело.

– Ладно! Не психуй. Вот умру, и все удочки в доме будут твои.

Александра эта дежурная шутка, похоже, устроила, он успокоился, я тоже. Тут дорога минула какое-то обнажение. Мы остановились, сдали машину назад и пошли камни искать.

Поздно вечером добрались в Аризону и решили переночевать около национального парка «Каменный лес».

Каменный лес

За двести двадцать пять миллионов лет до нашего появления эти края были огромным заболоченным лесом, по которому бродили динозавры, древние крокодилы и гигантские саламандры. Деревья падали в воду, песок с глиной укрывали их плотным слоем, и стволы деревьев без доступа кислорода в конце концов окаменели. Потом всё это опустилось ниже уровня моря, опять поднялось, эрозия оголила всё, что смогла, а пустыня сохранила для нас. Мы приехали в эти края запастись деревом, в котором органика заместилась опалом. Платить в магазине деньги за эти древовидные опалы, пять долларов фунт, нам казалось, не правильно, поскольку мы полагали, что в пустыне за пределами парка для нас найдётся наверняка что-нибудь подобное, достойное внимания охотника за камнями. И, конечно, бесплатно.

Национальный парк «Каменный лес» к нашему приезду уже закрылся. Окаменевшие деревья и рейнджеры отдыхали от туристов – и это было правильно. Нам тоже полагалось чуток поспать, и я стал прикидывать, где поставить палатку. Благо, кэмпграунд был не заперт и пустовал. Только вот мой внук забастовал. Он не хотел ставить палатку без разрешения уполномоченных на это лиц и без положенной тарифом оплаты.

Короче, побродили мы безуспешно полчаса между пустым офисом и закрытыми магазинчиками в поисках кого-нибудь из администрации, потом плюнули на это дело, откинули спинки кресел, и Сашка улегся спать в машине, а я пошёл искать туалет, чтобы слегка привести себя в порядок. Нашёл и туалет, и душ, на свою седую голову. В душе было две брызгалки: на уровне пояса – для ног и выше головы – для остального тела. Управлялась вся эта роскошь двумя кнопками, располагавшимися одна над другой. Юморной народ – местные сантехники: нижняя кнопка управляла верхней брызгалкой, а верхняя – нижней. Я захотел, было, помыть ноги и, конечно, нажал нижнюю кнопку. Япона мать! Облил мне голову и одежду мощный дождь очень старательно, и пришлось – таки принимать душ по полной, хоть я этого и не планировал. Впрочем, это ещё так себе приключение. Бывает и веселее. Вот однажды в одном кэмпе попал я на туалет с цифровым замком. Пришлось бегом вернуться к машине, скопировать с пропуска код на ладошку (у меня плохая память на цифры) и опять бегом в туалет. Еле успел. А если бы нет?

Спать в автомобильном кресле не фонтан, поэтому проснулись мы, когда небо только начало сереть, и выехали в пустыню. Часа четыре бродили между колючками и кактусами, перебиваясь какими-то мелочами, и уже не надеялись найти что-нибудь, достойное восхищения. «Нет так нет. Окей! Не каждый день котлета для щенка со стола падает», – подумал про себя..., и мы принялись искать указанное на карте озеро, чтобы около него позавтракать. Именно там бог авантюристов сжалился над нами. Около озера милях в пятнадцати к западу от парка, мы наткнулись на покосившиеся ворота заброшенной фермы. Там погрызенный термитами столб (опора ворот) был удерживаем в положенном ему виде большой кучей обломков окаменевшего дерева. Ура! Нимало не сомневаясь в своём праве, мы погрузили лучшие образцы в машину, а заодно перфекционист Сашка поправил столб, чтобы тот не шатался. Для него «хочу» начинается там, где кончается «надо». Весь в меня. Прорычали мы своё очередное «Ура!», и команда охотников за камнями полетела на крыльях удачи к следующим приключениям. Чувство победы сладостно грело душу, а восторг от находок был ничуть не меньше от того, что запылила пустыня нашу машину по самое всё, и крышу тоже. Ничего, дождик отмоет.

В предыдущие годы мы дважды пересекали Аризону вдоль и поперёк вместе с ее достопримечательностями, поэтому нас в ней сегодня ничего не задерживало, и мы рванули на Юту. Там было важное дело, оставленное нами «на потом» пару лет назад.

На юге штата Юта в окрестностях посёлка Алтон на склонах горы Кармел есть местечко, где можно найти септарианы в виде шаров – замечательные конкреции золотистого кальцита и арагонита. Два года тому продавец камней в придорожном магазине посоветовал нам такое месторождение. Там, обещал он, после дождя можно что-нибудь найти, если повезёт. Вот туда мы и порулили.

Дороги в Америке бывают четырёх видов: хороший асфальт или бетон – процентов пятьдесят, двадцать процентов – асфальт похуже и слегка раздолбанный, ещё десять – покрытие щебенчатое, и последние двадцать – тракторные горные и лесные дороги. Машина у нас шоссейная, и какой леший нас иногда заносит на этот четвёртый тип – понятия не имею. Может у нас неправильный метод выбора пути? Обычно мы намечаем цель поездки, выезжаем на дорогу и начинается всё примерно так:

– Свернём где?

– Где ты хочешь.

– Нет, где ты хочешь.

– Нет, где ты!

– Хорошо. Сворачиваем здесь.

– Нет, не здесь, а там.

– Нет, здесь.

– Нет, там. Ты не туда свернул!

Короче, сами понимаете, что заруливают водители таким макаром обычно в такие «интересные» места, где тот самый Макар телят не гонял

Вот почему мы два года тому блуданули: заехали не туда, зашли тоже чёрт знает куда и нашли своё собственное месторождение неплохого септариана. И зуб ископаемого крокодила в придачу.

В этот раз Александр захотел ещё раз прочесать знакомые нам склоны гор в надежде найти что-нибудь не подобранное в прошлый раз. Не получилось. Вход в долину, по которой мы когда-то подъезжали к нашему месторождению, был перекрыт воротами. В обе стороны от преграды тянулись заборы из колючей проволоки, и настроение упало было до нуля. Но не тут было...

– А вот вам хрен собачий! И не такое видали! – возмутился я.

Натянули мы резиновые сапоги, подлезли под колючей проволокой, забросили рюкзаки за спину и пошли пешком. До своего старого месторождения не дошли, поскольку нашли новое и гораздо богаче. И было оно совсем близко от ворот, всего в километре по долине и триста метров вверх по гребню горы. Помню, подняли на обочине небольшой обломок септариана, чуть выше по склону ещё один увидали, потом ещё, как будто кто-то след нам проложил от дороги на склон хребта. Там у основания оползня нашли десятка три шаров отличного качества. Погрузили мы, что смогли, в рюкзаки, что-то в руки прихватили, и потащились к машине. По дороге Александр начал канючить:

– Деда! Вот ещё симпатичный шар! Возьмём?

– Не-а! – возражаю я. – Лучше отнесём к машине, что есть, а потом вернёмся сюда. Оставь его, так и надорваться можно. Нам это ни к чему – сапфиры Монтаны ждут нас.

Кое-как добрались к нашей машине. Рюкзаки с находками протолкнули под воротами, сами перелезли через ограду и погрузили камни в кузов. На вторую ходку, правда, не решились поскольку у Сашки спина разболелась, а я о рессорах задумался (тащиться по горным дорогам и переезжать через речку вброд с большим перегрузом не стоило).

Выбрались на асфальт благополучно и поехали на север искать место для ночлега. Подходящий кэмп случился километров через двадцать. Заплатили мы свои тридцать долларов, поставили палатку, сходили в душ, поужинали и принялись упаковывать находки в пластмассовые ящики, закупленные в случившемся по дороге супермаркете.

Утром следующего дня мы планировали отоспаться, но привычка рано вставать подняла нас с рассветом. Позавтракали куриным супчиком из концентратов, запили кофе и выехали в сторону национального парка «Кэпитал Риф» (я его давно хотел посмотреть, да и Сашка был не против). Поблуждали немного по горным дорогам и нашли этот знаменитый парк. Разноцветные склоны ущелий и могучий каньон были хороши, правда народу было многовато, а камни собирать нельзя. Поэтому в этих местах нам более всего понравились халцедоны и агаты, которые мы насобирали километрах в тридцати к северу от парка. Опять же в пустыне. Или, может, в прерии? Кому как нравится называть, так и называйте. Меня это не колышет, потому что мы опять набрались камней как собака блох, и я забастовал:

– Хватит! До Монтаны никаких камней не грузим. Мне еще домой всё это везти. Машина, конечно, железная, но не грузовик. Поехали!

Ну мы и покатили через северную Юту, пустынный Вайоминг, переполненный туристами Йеллоустонский парк и прочие занятные места северо-запада Америки. По дороге ловили рыбу, фотографировались на фоне гейзеров, искупались в горячем источнике, ну и скупали рыбацкое барахло в магазинах, но камней больше не брали, разве только Сашка иногда, втайне от меня, пытался сунуть какой-то булыжник в багажник, но я был начеку и пресекал, если видел.

Сапфиры Монтаны

Большая дорога – как маленькая война. Каждый год на такой войне в Америке погибает около 30 тысяч автомобилистов. Плата за свободу передвижения? Очень может быть, ведь свобода всегда была дорогостоящим товаром.

Между прочим, за тот же год аллигаторы, акулы и медведи, вместе взятые, убивают только одного человека. Так кого же бояться человеку больше? Машин или животных? Говорят – машин; но я, хоть и не шибко мудрый, почему-то уверен, что для водителя нет страшнее опасности, чем милый травоядный олень на дороге. В Америке большая часть автомобилей фермеров и работяг оборудована дополнительными мощными решётками перед радиатором. У меня такой решётки нет, и поэтому я побаиваюсь ездить поздним вечером быстро и без дальнего света. Стоит, к примеру, красавец – олень на краю дороги – и вдруг решает перебежать на другую сторону прямо передо мной (может, подруга позвала или какая-то иная молодецкая дурь в голову ударила). Если успеваешь безопасно тормознуть, то слава богу; а если нет, то получаешь кровавый фарш на лобовом стекле и разбитый в дребезги радиатор.

И это не всегда самое худшее. У нас во Флориде женщина с двумя детьми в своём авто на большой скорости сбила крокодила, переползавшего дорогу. Тормознула женщина одновременно с поворотом руля, машину занесло, водитель не справилась с управлением – в результате Тойота слетела с дороги и врезалась в столб. Машина загорелась. Не выжил никто…

У меня в этой поездке тоже чуть не случилось происшествие. Правда не со зверем, а с человеком. Еду по Нью-Мексико поздно вечером в сторону Одессы (есть там такой городок, оказывается, нефтяников обслуживает). Навстречу трак-бензовоз огромный. Идёт, как и я, пятьдесят миль в час. И вдруг из-за трака навстречу мне вылетает что-то помельче, но тоже немаленькое. Скорость под сто. Какой-то «самоубийца» на джипе решил трак обогнать. Понимаю, что он сейчас врежется мне в лоб, и сворачиваю на обочину. Пропускаю встречный джип между собой и бензовозом. Щебёнка фонтаном брызнула из-под колёс, машину повело, но удалось вывернуть опять на асфальт. Чудом я тогда удержался на дороге. Хорошо, что обочина была достаточно широкая и плотно укатанная. И тут мой внук выдаёт:

– Япона мать (и у кого только научился?)! Ведь он нас убить хотел. Я как-то по телеку видел такое. Идут две машины лоб в лоб. У кого нервы сдают, уходит на обочину. Его машина взлетает в воздух, переворачивается пару раз и горит в канаве. А тот, у кого нервы покрепче, едет себе дальше.

Унял я тремор в коленках, пот со лба утёр и отвечаю, как могу:

– Псих, наверное. На дорогах таких хватает. У одной моей знакомой муж поехал к зубному врачу, поставил пломбу, завернул в супермаркет, накупил продуктов на двести долларов. С этим грузом выехал на хайвей, остановился, вышел из машины – и бросился под школьный автобус. Ему-то потом уже было всё равно, а школьникам каково?

К чему это всё я? Три тысячи миль намотали и приехали в Монтану живыми, к тому же здоровыми! Слава богу дороги и удаче тоже!

Прибыли мы ближе к вечеру и стали искать ночлег в городе Хелена (столица штата, «кэпитал» на местном языке). По американской мудрой традиции столицей штата обычно выбирают какой-нибудь небольшой городок. Так удобней, дешевле и на большие города меньше нагрузка. По нашему плану мы могли бы заночевать в лагере конвенции Национального Спелеологического общества, членами которой был я лет двадцать пять, а Сашка – четыре года. Но на этот раз попасть в кэмп конвенции нам не удалось: всё было закрыто, и открыть ворота было некому, поэтому поехали мы в какой-то парк миль за десять от города и заночевали около горного озера, кстати, недорого.

Утро выдалось холодным – север всё-таки, да ещё и горы. Но мы уже маленько привыкли, а горячий кофе с блинчиками позволили с радостью встретить рассвет.

Регистрация участников конвенции стартовала в местной школе в двенадцать дня, времени было ещё достаточно для приключений, и мы начали поиск сапфиров с посещения магазина камней. Они в каждом городе обычно есть. Любят американцы камешками побаловаться. Там нам показали сапфиры и предложили купить сколько угодно – тридцать долларов за карат. Хорошее предложение, но и это было для нас слишком дорого. Покупать драгоценные камни мы не стали, зато увидали, как выглядят местные сапфиры. Осталось выяснить, где их добывают и каким способом.

В этом магазине мы ограничились покупкой окаменевшего ананаса, разрезанного пополам, в хорошем состоянии. Возраст – сто миллионов лет или больше! Продавец, молодой парень, не знал, с чем расстаётся, и продал нам этот ананас за смешные деньги. Просил десять, я предложил пять, а сговорились за семь – удачная покупка!

К двенадцати дня мы добрались в штаб конвенции, зарегистрировались, получили карточки участников, пропуск в кэмп и много ещё чего в придачу. Участие в этом сборище мы оплатили заранее через интернет. Получилось на двоих четыреста с чем-то долларов. Не много, поскольку только место для палатки в здешних местах стоит тридцать баксов в день, а продолжалась конвенция семь дней. Кроме того, оплата включала два банкета, в начале конвенции и в конце, экскурсии и развлекательные программы, бесплатное пиво каждый вечер, сколько хочешь, и удовольствие от общения с такими же помешанными на пещерах и камнях людьми, как мы. Почему так дёшево? Спонсоры раскошелились. Спелеологи в Америке – разный народ: есть бедные студенты, а есть, на редкость, состоятельные и щедрые.

Поскольку мы были одними из первых, то поставили свои две палатки в самом лучшем месте – в тени роскошного платана. Замечательный в этот раз на конвенции кэмп был. Не сравнить с некоторыми другими, в которых мы побывали. Берут порой немалые деньги, и не факт, что территория не заражена огненными муравьями. А от них волдыри на месте укуса гнойные. И обычные муравьи, кстати, тоже не подарок. Проснёшься, бывало, ночью в палатке, а муравьи строем через тебя шагают от головы к плечам, потом на спину и ниже, в самые заповедные места... Щекотно, япона мать!

Определившись с лагерем, мы не стали терять времени и выехали в ту сторону, где водятся сапфиры. Монтана – штат горный, и дороги в нём горбатые, но ухоженные, даже если грунтовые. Иначе здесь нельзя – жизнь замрёт. Недолго порыскав по горным дорогам в стороне от населённых мест, около карьера нашли кэмп охотников за камнями – популярное в интернете местечко. Здесь можно было купить мешок гравия (килограмм десять) с примесью сапфиров. В кемпе предлагали мешки по пятьдесят долларов, по семьдесят и по сто. Которые подешевле – из бедных сапфирами шлейфов, а которые подороже – из более богатых. Там же при помощи инструктора, сита, воды и удачи можно добыть себе щепотку-другую драгоценных камней. Молодой парень, работавший в кэмпе, научил нас правильно вымывать песок и пыль из гравия, а также как сделать так, чтобы сапфиры оказались на поверхности отмытого грунта. Секрет был прост: надо бросить один цент в сито с гравием и мыть вместе с ним. Медь и сапфиры одинаково весят, поэтому, когда опрокидываешь сито с отмытым материалом на лист поролона, то считается, что сделано всё хорошо, если монетка вместе с драгоценными камнями окажется в центре кучки и на поверхности.

От сапфиров я балдею, мой внук тоже.

– Деда. А как так получается, что мягкий алюминий, соединившийся с газом кислородом, образует камень, по твёрдости уступающий только алмазу?

– А хрен его знает?! Я инженерной геологией занимался. Минералы изучал в университете не долго и не полно. Поройся в интернете. Заодно узнай, как мягкий графит может стать алмазом.

Моем не спеша гравий квадратным ситом в ржавой ванне с водой. Ну и как тут не поговорить о чём-то сокровенном.

– Дед! Я читал, что самоцветы болезни лечат, удачу приносят и в бизнесе помогают. У нас камней полная машина, и все полки в доме заставлены. А когда удача попрёт?

Интересный вопрос. Как бы так ответить, почему мы не богато живем? И камни здесь к чему? И чтобы на правду было похоже?

– Живы мы, здоровы и на жизнь хватает – уже хорошо. Не всем дано. А чтобы в бизнесе была удача, так им надо уметь заниматься. Ты умеешь? Нет? Я тоже. Для меня главное что? Когда хороший камень в руку возьмёшь – на душе светло и радостно становится. За такое кое-кто из миллионеров готов бы душу дьяволу продать. Какое тебе ещё чудо от камней надо?

Короче, отмыли и перебрали мы купленный за семьдесят долларов мешок гравия. Нашли десяток мелких, до карата, сапфиров, два таких же рубина – и это всё. Надо было брать стодолларовый мешок, но мы на такие расходы не решились. Обидно, но всё-таки не зря мы заехали в этот кэмп – выяснили, где могут быть сапфиры и как их отделить от рыхлой породы.

После удачной разведки вернулись в лагерь, а там уже палаток двести! И народ толпами по кэмпу бродит – места получше выбирает. А нам-то что. У нас палатки уже стоят. Пристроили мы свою машину рядом и развернули свой уют по полной программе: столик поставили между палатками, два стульчика, плиту газовую включили, яичницу с колбаской пожарили, поужинали и пошли спать. Вернее, я пошел, а мой внук куда-то повеялся, и когда вернулся, не знаю, потому что на этот раз у каждого своя палатка. И это было мудро, поскольку я достал внука своим храпом, а он меня – вечным беспорядком в личных вещах.

На следующий день мы съездили в Национальный парк Глейшер, расположенный на границе с Канадой. Камни камнями, а не посетить этот парк было бы грешно. Горы там высокие, покрыты вечными снегами и ледниками. Лет за сто до нас ледники были больше раз в десять. Их фотографировали регулярно, и есть с чем сравнить. Глобальное потепление, говорите? Конечно, да. Только деятельность человека здесь ни при чём. Бывали времена, когда ледники занимали почти всю Северную Америку. И не один раз. А бывало, что и на Аляске буяла тропическая растительность, правда человека тогда еще в Америке не было.

Парк, конечно, замечательный, и дорога к нему вела отличная. Вдаль неё мы нашли очень неплохой центр по изучению динозавров и музей при нём. Оказывается, окаменевших костей динозавров в этих краях навалом. Места правда надо знать. Рядом с музеем был очередной, но довольно богатый магазин камней, и в нём мы купили недорого дендрит самородной меди. У нас такого в коллекции не было.

Когда мы вернулись в лагерь с экскурсии в высокие горы, друзья Александра по прошлым трём конвенциям уже приехали, и стал я внука видеть гораздо реже. Завтракал он ещё у меня, а остальное время питался у своих друзей. Популярен оказался мой парень у спелеологического народа! И у прекрасной половины команды подростков, кстати, тоже.

Как обычно, на конвенции работало десятка два разных программ. Кто-то обменивался информацией по интересующим его темам. Кое-кто путешествовал по пещерам с местными спелеологами. Некоторые самостоятельно шастали по окрестным горам. А мой Сашка первым делом поучаствовал в соревнованиях: подъем по вертикальной верёвке, тридцать и сто двадцать метров, при помощи механических самохватов и на схватывающих узлах. На радость деду, занял внук три первых места в разных видах. Потом с местными юниорами Сашка ездил в пещеры, а под конец сплавлялся по реке на лодках.

Короче, видел я его редко, да и сам был занят. Не давали мне покоя сапфиры Монтаны. Они в эти места были принесены древними реками бог знает с каких уже уничтоженных эрозией гор. Искать их следовало в галечнике на водоразделах. Я покрутил мозгами, обозревая окрестности, и бывалым глазом прикинул, где с лопатой стоило бы пройтись. Потом объездил, не торопясь с полсотни квадратных миль и обнаружил несколько ям, где местные старатели камни искали, и сам кое-что нашёл любопытное. Но, видимо, примелькался на горе в тех местах. Добегался старый авантюрист...

Ковыряюсь как-то на заброшенном карьере и вдруг чувствую, кто-то на меня смотрит. Оборачиваюсь, а передо мной стоят два двухметровых амбала с бородами лопатой, как у деда Мороза.

– И что же вы, уважаемый, ищите в наших краях? – вежливо осведомился который постарше.

– Камешки ищу для коллекции, – отвечаю, а сам на руки его гляжу. Из них кулаки могут получиться размером с кочан капусты.

– А ну покажите, что нашли?

– Смотрите, – понимаю, что отказываться не стоит, и показываю последнюю находку.

Старший из мужиков посмотрел сквозь камешек на солнце, похвалил, вернул и говорит:

– Повезло, хороший сапфир. С вас этого хватит, и того, что не показали, тоже. Уезжайте, и чтобы мы вас больше здесь не видели.

– А если нет? – прощупываю перспективу, хотя и так всё понятно. Не хотят меня здесь.

– Вам и вашему внуку это не повредит – в бога мы верим и грех на душу не возьмём. А машина, конечно, сгорит. Как будете во Флориду добираться?

Пожали мужики мне на прощание руку уважительно так и пошли к своему траку. А мне что-то сразу домой захотелось.

К тому же конвенция кончилась. И денежки, которые мы с внуком на ремонте домов заработали, тоже тю-тю. А это была оплата за покраску домов снаружи и внутри, перетягивание противомоскитных сеток, ремонт туалетов и кое-что по электричеству. Напахались мы с пацаном до «больше не хочу» весь июнь и половину июля, чтобы шикануть на машине через континент туда и обратно. В результате осталось зелёных бумажек только на бензин и бутерброды, чтобы домой добраться. Короче, после прощального банкета собрали мы свой лагерь, погрузили в машину и за три дня приехали домой во Флориду. Там нас младшая Сашкина сестра (моя внучка, значит) ждала. Ей камни тоже интересны. А скорее за братом соскучилась. И за мной немного. Там ещё у нас есть моя жена Людмила, она же Сашкина бабушка. Строгая очень. Живет с нами и Оля, Сашкина тётка. А моя дочь Александра – это Сашкина мама, тоже ждет нас – тортики печь задумала. И три кота, один другого шибутнее. Семейство у нас шумное, иногда чересчур, но отходчивое. Если три дня не видимся, уже скучаем друг без друга.

***

Ну вот и всё, что я хотел рассказать о нашей поездке в Монтану. Почему я это всё написал, и сам не знаю. Летописи – не моё призвание. Я больше по сказкам для взрослых специализируюсь, но последнее время не пишется и такое, видно, старею. Жизнь моя, если кто из друзей помнит, была бурная. Много успел сделать, где-то накосячил, где-то был первым, книг небольшую стопку написал, сотня моих учеников по всему свету кувыркаются. Ну да хватит об этом. На сегодня у меня осталась одна задача – быть рядом с внуком и внучкой. Это тоже дело не хуже других, но только до тех пор, пока я им нужен, не более. А там посмотрим, япона мать... Ничего. Выдюжим.

7. В АТЛАНТИКУ ЗА АКУЛОЙ

Мой внук Сашка как уважающий себя американец должен иметь хобби. Иначе никак нельзя. Не комильфо. Это может быть рыбалка, футбол, собирание камней, академическая гребля или что-то иное.

Рыбалка у нас в этом перечне занимает первое место, поскольку во Флориде в каждом доме по десятку удочек и с полсотни блесен всегда найдётся. Некоторые даже ими пользуются по праздникам. В нашем гараже мы удочкам счёт потеряли, и всего остального рыбацкого барахла тоже немерено, поскольку внук считается в своей школе большим специалистом по ловле большой рыбы.

В наших местах с берега поймать большую рыбу последнее время сложно, поскольку в Мексиканском заливе нефтяных вышек сотни понатыканы, и любителям приходится ездить через весь полуостров на Атлантический океан. И вот однажды глубокой осенью понесло меня с внуком с западного побережья Флориды на восточное акулу ловить. А если честно, то чтобы свои мозги океанским бризом от домашних забот проветрить, а Сашке, чтобы было чем в сети похвастаться. В океане акул полно, к тому же непуганых. Занятие ловить акулу – не хилое даже для настоящих мужиков, вроде нас с внуком, и требует особой подготовки. Машину я проверил, заправил бензином, долил масло в мотор, воду в радиатор и даже пропылесосил. А рыбацкое снаряжение – удочки, леску потолще, крючки огромного размера и специальную сетку-лифт для подъема пойманной рыбы на пирс – готовил внук.

Машинка наша – корейский спортивный вездеход – весьма удобна для поиска приключений на задницу. У этой машины куча достоинств: компактная (легко парковаться и разворачиваться), быстро набирает скорость, а расширенный мной багажник на крыше позволяет загрузить сверху два каяка. При необходимости и сзади можно установить платформу для груза. Хороша наша старушка и для бездорожья. А из недостатков отмечу, что жрёт бензин, аки лошадь воду, кондиционер барахлит, насос для омывки стёкол сдох, ну и шибко тесно в ней тучному пожилому джентльмену и тощему, но длинному парню.

Выехали мы не слишком рано, поскольку рано не получилось. И то, и другое, и третье – сами знаете, когда хочется побыстрей, всегда что-то тормозит. Уже солнце показало свой краешек из-за горизонта, а мы только выбрались со двора (япона мать!). Не особо торопясь, за час доковыляли по семьдесят второй в Аркадию – всего-то сорок миль. Есть такой симпатичный городок в центральной Флориде. Сюда мы, бывало, приезжали за ископаемыми акульими зубами. Местная река Пис-Ривер в паводок размывает плиоценовые отложения, поэтому в межень на дне можно найти окаменевшие остатки древних животных и рыб.

Даунтаун (центр города) состоит из одной улицы и называется, как обычно в Америке, Мейн-стрит (главная улица). Старинная архитектура центра города мне нравится. Хорошо смотрятся скромная мэрия, пара банков, церковь, ресторан, кафе, бутики и прочие необходимые для городского шика строения в изысканно провинциальном стиле. Нам вся эта роскошь была ни к чему, а нужен местный недорогой магазин хозяйственных товаров, в котором, по слухам, замечательный рыбацкий отдел. Около него мы остановились, чтобы кое-что посмотреть и от вождения передохнуть. Пока я ощупывал замечательную под старину, чугунную посуду, Сашка крутился около рыбацкого снаряжения, примеривая блёсны к ладони и тощему кошельку. Там же около витрины с удочками и рыбацкими катушками стояли вёдра с сетками-парашютами, круглые такие, и для метания на рыбу с моста вполне пригодные. О сетках из Аркадии мне как-то хорошо отзывался знакомый рыбак. К тому же стоили они на четверть дешевле, чем в городе, в котором мы живём. Внук мой за последний год вырос на голову выше меня, и мои сетки ему уже маловаты. Да и поизносились они изрядно. Смотрю, Сашка около сеток сидит и к цене присматривается. Оно, конечно, не так дорого, как у нас, но и не дёшево. Четырнадцатифутовая – 240 долларов! Больше сеток не бывает, а меньше для внука уже не имеет смысла покупать. Вздыхаю тяжело и звоню жене. Та, конечно, в крик:

– Сетками полгаража завалено, и если какая-то копейка в доме завелась, так это не значит, что ее тут же надо на рыбацкие глупости потратить?

– Слышь, мать. Новую сетку мы три года тому покупали, и она уже стала шибко старой. Кроме того, у парня скоро день рождения, и Рождество на носу. Я с ним договорюсь, что сетка ему за подарок вполне сойдёт. Давай купим. Свежая рыба в доме всегда пригодится.

– Бог с ней, с этой рыбой! Два холодильника и два морозильника забиты полностью! Кстати, о вашем рыбацком барахле... Если порядка в гараже и сарае не будет, я ваши вонючие сетки на мусорник выброшу!

Такие дела. Видно, не горит желанием Люда покупать нам новую сетку. Оно, конечно, на женский взгляд, вроде бы, и ни к чему, если в гараже и на полках, и под полками, и в проходе их навалом. Правда куплены не все. Половина брошена на кораллах приезжими рыбаками – «чайниками», а мы с Сашкой с камней сняли и отремонтировали. Их бы пора выбросить, да жаба давит. А в сарае что творится? Господи помоги! Таки точно пора порядок навести. С другой стороны, через месяц придёт в наши места великолепный атлантический мулет икру метать. А это и копчёная рыба, и балыки, и венец всего рыбные котлеты, тушеные с овощами. Сушеная икра в мешочках по итальянскому рецепту – тоже деликатес из редких. Обожаю под рюмочку беленькой! И сестра с мужем из Бостона обещали прилететь, от снегов и холодов передохнуть. А ее семья – большие любители рыбы. Вот холодильники и разгрузятся. Хотелось бы новую сетку купить к зиме, чтобы («Эх! Размахнись рука, раззудись плечо»), когда рыба под мостом между Горелым островом и материком стаями попрёт, быть готовыми. Только вот Сашкина бабушка, наша финансовая берегиня, против. Ну да ладно, может всё-таки когда-нибудь уговорим. А пока поехали дальше. Нам ещё акулу сегодня ловить.

В Аркадии свернули мы на семидесятую ист и порулили восемьдесят миль в сторону Окичоби. Есть такой город около одноимённого озера. Вдоль дороги – апельсиновые сады, плантации сахарного тростника и пара тюрем, конечно (как без них в нашей свободной стране?). У дороги знак интересный увидели – «Осторожно! Медведи». В апельсиновых зарослях или исправительных учреждениях водятся? Ну да ладно. Всё бывает в этом лучшем из миров – места здесь малолюдные.

Город Окичоби расположен на северном берегу озера. Для нас с Сашкой он интересен двумя огромными блошиными рынками, на которых можно поживится искателям дешевого антиквариата и отлично перекусить в недорогих мексиканских кафе, что мы и сделали с достойным аппетитом. Заодно прикупили маленький китайский самовар, вполне даже прилично и по-старинному выглядевший. Думаю, выставит меня жена из дому когда-нибудь вместе с моими древними прибабахами, которые как бы и украшают дом, но собирают пыли на себе до хрена и больше.

Занятный всё-таки городок Окичоби, если присмотреться к рекламе. К примеру, на крыше автозаправки – огромная вывеска «Ликёр». А рядом – бензовоз, на торце бочки которого написано «У нас самый лучший Колумбийский кофе». Похихикали мы малость над чудесами американского маркетинга, залили десять галлонов бензина в бак и поехали к озеру посмотреть, что там сейчас творится.

Озеро Окичоби почти рукотворное, но огромное. Этакое внутреннее море во Флориде, со своим портом и микроклиматом. Построили ещё в прошлом веке на гигантском болоте высокую, огромной длины кольцевую дамбу, подвели к ней несколько ирригационных каналов, поставили десяток мощных насосов и столько же шлюзов. В сезон дождей (летом) насосы закачивают воду в образовавшуюся ямину, а в засушливый сезон (зимой) выпускают обратно через шлюзы в каналы и используют для полива плантаций всякой полезной растительности. А ещё когда-то через озеро транзитом и по каналам шли баржи с восточного берега Флориды к западному и в обратном направлении. Путь получался на много короче, чем вокруг всего гигантского полуострова. Нынче грузы больше траками перевозят. Даже железные дороги уходят в прошлое.

В озере рыбы, говорят, много, но я с берега ничего, кроме аллигатора, дрыхнувшего на островке, не высмотрел. Сашка, конечно, с рыбацкого пирса попытался что-нибудь поймать на какую-то хитрую блесну, но без успеха. Я поехидничал над его потугами, и поехали мы дальше к вожделенному Атлантическому океану. Там-таки точно что-нибудь поймаем.

За городом семидесятая стала шире на полосу, а вдоль дороги потянулась велосипедная дорожка. Таких только в нашем штате пару тысяч миль или больше. Кто их считал? Если вы думаете, что американцы жирные и малоподвижные, то зря. Очень даже спортивный и активный народ в Америке. Если увидишь толстого человека, то это наверняка больной телом или на голову. Стадионы и спортивные залы у населения в большом почёте, к немалой выгоде владельцев. Велосипедные дорожки тоже не пустуют. Вон пролетела стайка молоденьких велосипедисток. Ножки-то, ножки какие? Когда я перестану на них внимание обращать? Грешен дедуля помыслами, ох грешен! Сашка тоже закрутил головой девицам вслед:

– Дед! А чем, в сущности, отличаются мужчины от женщин?

– Алё, парень! Ты вроде бы уже взрослый мужик. Должен бы знать.

– Да я не об анатомии. Я о нобелевских премиях. Почти все были присуждены мужчинам. Почему?

– Честно говоря, я о таком не задумывался. Не моё это. Да и в женщине для меня главное не жизненный успех, а заботливость, надёжность и обаяние. А что касается премий я полагаю, что у мужчин возможность видеть окружающий мир имеет больше значение, чем способность погружения в себя. Это биологически задано обязанностями кормильца и защитника семьи. Для женщины важнее понимать, что творится внутри ее самой. Ей род продолжать. Думаю, что, где-то так.

– Хм... Надо будет в сети посмотреть. Что-то в таком роде я уже читал, но это слишком просто.

Япона мать! Какой-то пацан сомневается в моей личной мудрости? Я, конечно же, обиделся и не смог промолчать:

– Слушай, друг. У меня тоже есть вопрос к тебе. Вот ты семь лет плавал в команде «Шарк» (акула), и мы гордо называли тебя пловцом. Потом тебе вдруг это надоело, и ты перешёл в академическую греблю. Так ты теперь гребец? Или гребун? Или даже гребло?

Сашка, похоже, тоже обиделся на меня и уткнулся носом в телефон, а я, довольно похмыкивая, порулил дальше. Достал дед его таки сегодня, в конце концов. Хоть и не по-крупному.

Намотали мы ещё сорок миль и добрались к океану ближе к обеду. Но восточное побережье встретило нас негостеприимно. Здесь свирепствовал рэд тайд (красный прилив). Это такая водоросль, которая, если начнёт бурно размножаться, то выжирает кислород из воды, и рыба начинает дохнуть. Причем не вся, а та которая послабее. В обычное время водоросль служит богатой пищей для рыбы, и та размножается, как может, пока ее очередной рэд тайд не остановит. На пляже сейчас делать нечего. Вонь от дохлой рыбы несусветная, антисанитария ужасная и прочие безобразия, которые человеку не по нутру. Вот такой немилосердный природный механизм регулирования морской живности в прибрежных районах Флориды. Сейчас только птицам обжорное раздолье. Туристский бизнес, конечно, терпит колоссальные убытки, а местное население чихает, кашляет и жалуется на жизнь. Правда мы надеялись, что на пирсе, уходящем сквозь океанский прибой далеко в море, нас рэд тайд не достанет. Так оно и получилось.

В парке Себастьян-Инлет (инлет – по-нашему, пролив) насыпаны огромными камнями две дамбы от берега в океан. Это рукотворное окаймление пролива из Индиан-Ривер в Атлантику, чтобы течение берега не размывало и чтобы фарватер не заиливался. Северная насыпь длиннее, а южная – короче. На дамбах построено два пирса, с которых народ рыбу ловит, и стоит это удовольствия десять долларов с машины, если в ней только два человека, что очень даже по-божески. А ещё в парке было два музея: рыбной ловли и найденных на дне океана сокровищ. Но нам сегодня не до них. Мы за акулой приехали

На рыбацком пирсе людно. Не одни мы такие умные. Течение через пролив в океан было нынче сильное, вода несла массу органики, и поэтому сюда устремились миллиарды мелкой рыбёшки. За ней пришла рыба покрупнее, а вдали маячили плавники дельфинов и акул. Затащили мы свою тележку с рыбацким барахлом в самый конец пирса, наловили сеткой мальков для приманки и принялись удочками ловить рыбу покрупнее, поскольку на мелочь акула не реагирует. Вот клюнуло что-то солидное, и я вытащил на пирс двухкилограммовую рыбину – жак желтый хвост называется. Хвост и вправду желтый. Мы рыбой избалованы и такую не едим, поскольку суховата, а вот акула вполне может сожрать.

Подцепить рыбу на крючок – не хитрое дело, а вот как ее забросить далеко в океан? В Мексиканском заливе Сашка садился в каяк и тащил рыбу в закат на всю длину лески, а я держал удочку на берегу, управляя этим процессом. В Атлантике при волне в два метра высотой такой способ не катит. Если сильный ветер и течение в проливе в сторону океана, то можно привязать к рыбе воздушный шарик и водой приманку отнесет достаточно далеко. Так мы и поступили. Сашка подцепил рыбу на крючок нашей самой мощной удочки, прикрепил шарик к леске в двух метрах выше приманки, забросил в пролив, и течение послушно отнесло рыбу далеко в океан, где ее аккуратно снял с крючка дельфин. Вот падла, примат моря!

Так и повелось: я ловил жаков, Сашка цеплял их на крючок и выпускал в океан, а дельфин объедал приманку. Какого хрена, япона мать! Мы что сюда дельфинов приехали кормить? А обстановочка на пирсе становилась все сложнее. Северный ветер промораживал пирс насквозь, а высокая волна своими брызгами с гребней засыпала всё вокруг мелким противным соленым дождём. Если вспомнить, как было на дне двухсотметрового колодца в пещере Куйбышевской на Кавказе с ее рекой талой воды, то таки так, очень похоже. Прорезиненная одежда, конечно, спасала, как могла, правда мне это уже начинало надоедать, но азартный Сашка держался стойко.

Повезло поздно вечером, когда леску дёрнуло так, что чуть не вылетело удилище в океан вместе с внуком. Вот тут-то и началось самое интересное. Водил Сашка рыбину час с лишним, пока не утомил монстра и не подвёл акулу мако к пирсу. Большая редкость для наших мест! Леской такую акулу на пирс не поднять и, чтобы вытащить ее, я спустил в воду лифт-сетку, натянутую на обруч. Только маловат оказался наш лифт. Хрен бы мы вытащили трёхметровую зверюгу на пятиметровую высоту, если бы местные рыбаки не помогли. Прибежал к нам с толстой верёвкой весёлый бородатый мужик, опустил по леске петлю на голову монстру и с помощью двух таких же здоровяков вытащил акулу на доски пирса. Сашка гордо принял щедрые поздравления публики, собравшейся на его победные вопли, сфотографировался сидя на рыбе и задрав ее нос кверху, чтобы зубы были видны, потом вынул крючок из ее челюсти и выбросил рыбу в океан. Пусть живёт! Сам бы не поднял – и опять помогли рыбаки, так у них принято. Почему рыбу в машину не загрузили? Во-первых, не поместилась бы. Во-вторых, не положено, поскольку лайсенса (разрешения) у нас на это нет. Кроме того, не сезон, сейчас и что с ней дома делать тоже не понятно. Итак, баба Люда ворчит, когда рыбу в дом тащим, а за эту вообще бы веником прибила.

Остаток ночи переспали в машине, сражаясь с гнусом, который проникал в кабину неизвестно по каким щелям. А перед восходом солнца опять были на пирсе. Солнце взошло, только вот течения в проливе в этот раз не было, поэтому клёва не было тоже, только пяток крючков потеряли на камнях. Часов в десять утра плюнули мы на это дело и засобирались домой, поскольку Сашке завтра в школу. Только отъехали от парка, Людмила звонит:

– Как, мол, дела, мужики?

Ну мы, конечно, не скупо так расписали наши подвиги, и тут она нам говорит:

– Бог с вами, рыболовы. Покупайте себе эту долбанную сетку, но чтобы в гараже порядок навели идеальный. А то выброшу!

– Ура! – закричали мы с Сашкой, запрыгнули в машину и газанули на Аркадию сетку покупать. Замечательная выдалась рыбалка, япона мать!

8. ТРИ ЖЕНЫ СУРОВОГО ЯНЫЧА

Флорида, конечно, – сказочная страна, но как для меня и внука Сашки уж слишком плоская. На юге – болота, каналы и острова. Там рыбачить, крокодилов с каяка вёслами гонять и лобстеров ловить – святое дело. В центре – чуток повыше. Здесь озёра и шикарные пляжи по берегам полуострова. На восточное побережье мы ездим в Атлантическом океане акул ловить и подводной охотой баловаться. На западном побережье на берегу Мексиканского залива мы живём. Тут отличная летняя рыбалка на местного судака, зимняя – на океанскую кефаль, ну и другие мелочи, вроде академической гребли. На севере – невысокие холмы и опять же хорошая рыбалка. Пещеры во Флориде тоже есть, но маленькие. А если большие, то горизонтальные и полностью затопленные водой. Посещать их – дорогое удовольствие, поскольку снаряга для подводного плавания в Америке не дешевая. Да и вертикальщикам, коими мы себя считаем, в таких пещерах неуютно. Поэтому чтобы порезвиться над бездной глубоких колодцев, мы ездим в Джорджию – это соседний штат на север от Флориды. Там известняковые горы чуть выше карпатских. Пещеры в Джорджии, как горизонтальные с реками в них, так и вертикальные с колодцами, нас вполне устраивают. Ехать от нас часов шесть, вот туда мы в этот раз и порулили. За рулём – внук, поскольку полгода тому назад получил разрешение на вождение автомобиля, если рядом есть кто-то из взрослых с правами. У нас во Флориде это позволено с пятнадцати лет. Когда исполнится шестнадцать, Сашка получит права и какую-нибудь старую развалюху от семьи, пока сам не заработает на машину поновей. В Америке так принято – и слава богу.

Вождение по хайвею обычно не утомляет, если нет заторов и не возникает желание маленько вздремнуть. Раньше я держался за баранку и боролся с сонливостью, а внук торчал в интернете или дрых, забросив длинные ноги к ветровому стеклу. Сейчас парень крутит баранку, а я развлекаю его байками – мне спать рядом с начинающим водителем не положено. Запас трепажа у меня с годами иссяк, поэтому Сашке приходиться активизировать меня ехидными вопросами. А он это может – весь в бабушку.

– Дед, откуда у тебя привычка крошки хлеба со стола в ладонь сметать и в рот забрасывать? В Америке такое редкость. И что это за страшный шрам на спине около шеи?

– Утомляешь ты меня, приятель, своими вопросами. Много будешь знать – быстро состаришься. Давай о чем-нибудь другом.

– Слышь, дед, – не унимался пацан. – Мать рассказывала, что у тебя было три жены. Как это тебя так угораздило?

– Во-первых, до бабушки было только две, – недовольно пробурчал я. И по очереди, а не сразу. А третья, твоя бабушка, не была, а есть. Ждёт нас дома, жива-здорова и занимается нашим с тобой воспитанием в свободное от работы время. Дело в том, что жизнь у меня случилась почему-то длинной – хватило места для многого. Так что удивляться нечему.

– Расскажи о первой жене, – решил упорядочить допрос мой подросток.

– Оно тебе надо? Давай я лучше расскажу о дрейфе материков в свете расширения планеты Земля.

– О таком я и в сети прочту. Тем более, что в этой гипотезе не всё достаточно корректно. Давай, дед, не трепыхайся. Делись семейными тайнами. До Атланты ещё миль сто переть.

Я понял, что пустяками от парня сегодня не отбрехаться, и нырнул в воспоминания. А ведь было о чём вспомнить:

– Окей. Началось это пятьдесят с лишком лет назад. Отслужил я в советской армии три с половиной года, вернулся домой в Киев и начал занятие искать. Идти работать на завод токарем не хотелось – душа не лежала, да и наследственность своего требовала. Твоя прабабушка была учительницей русского языка и на каникулах обычно возила своих учеников в походы. Я с ней ездил, поскольку девать меня было некуда. И как результат – меня влекло к педагогике и путешествиям. Недолго думая, я определился старшим пионервожатым (полагалась такая должность) в школу, где мать работала. Потом поступил в пединститут на математический факультет, поскольку был силён в физике и математике. В школе организовал кружок туризма и на летние каникулы повёз детишек в Крым. Туристы мы были не ахти, но с рюкзаками за спиной в тумане благополучно пересекли Ай-Петринскую яйлу, спустились в Ялту, а оттуда переехали на Перевальное, чтобы посмотреть Красную пещеру. Пещеру мы нашли с трудом, но на туфовой площадке перед ней нам повезло встретить паренька из Симферополя, который пещеру знал и вызвался нас по ней поводить. Что парень в одиночестве там делал, не знаю, но он был рад нам, а мы ему. Показал проводник-волонтёр нам всю входовую часть и даже протащил нас через узкий грязный ход «Горло Шаманского» к озёрам и сифонам. Измазались мы в глине по самое не хочу, но очень мне всё это понравилось – и решил я заняться пещерами всерьёз. Спасибо парню, а ведь я даже имени его не помню.

Возвратившись в Киев, я начал подготовку к «вторжению» в пещеры с поисков каски, поскольку шишки на голове от столкновений с чудесами природы очень даже о-го-го. Первым опытом была попытка изготовить каску из автомобильной фары грузовика. Смотрелась каска хорошо, но не подходила из-за формы головы. Каски военных, которых после войны было много в лесах и на полях во множестве, тоже не подходили из-за прогнившей фурнитуры, да и сложно было прикрепить фонарик к ржавому корпусу. В конце концов проблема решилась, когда пришел я с письмом от районного дома пионеров к строящейся станции метро на Печерске. Местный начальник посочувствовал нам и выдал мешок списанных касок, которые не успел выбросить, но мы и им были рады.

Каски требовали применения – и мы поехали в Тернопольскую область посмотреть ближайшие природные пещеры. О них нам рассказал киевский турист Толя Ситник. Я написал письмо шефу тернопольских спелеологов Радзиевскому и получил рекомендацию присоединиться к группе туристов политехнического института. Они собирались посетить пещеру Озёрную, в те времена самую большую по протяжённости в стране. Со мной было шестеро школьников, доверившихся мне. Имён не помню, если кто знает – отзовитесь.

Из-за сильных дождей в пещеру мы не попали, хоть пытались прорваться изо всех сил сквозь узкий вход, но все выкопанное тут же заливалось жидкой глиной с камнями. Поэтому мы перешли к пещере Ветровой и посмотрели ее. В этой поездке я и познакомился с Аллой – студенткой Тернопольского политеха и толковой «спелеологиней». В смету на поездку мы по своей неопытности не вписались: на обратную дорогу денег не хватило, и Алла заняла нам необходимую сумму. Девушка мне нравилась своей организованностью, добротой и отвагой, я попросил ее выйти за меня замуж, и она согласилась. Через некоторое время у нас появился ребёнок – Серёжа Рогожников. Сейчас он живёт в Киеве, и мы изредка общаемся через сеть. Надо бы и тебя с ним познакомить. Он сложный, но классный мужик. У него есть дочь и внучка – моя правнучка.

– А почему ты расстался с Аллой?

– Умерла она. Рак лимфы. В те времена такое не лечилось. Сейчас бы Алла прожила гораздо дольше.

– Грустно-то как получилось... Слушай, дед, а где ты вторую жену нашел?

– Прошло лет пять после того, как Аллы не стало. Был у меня дружок – харьковский спелеолог Витя Соколов. Он на постоянку в Самарканд переехал. Писал мне, что там в местных горах Чакыл-Калян пещер навалом. Приглашал приезжать к нему посмотреть. К письму прилагался адрес самаркандского карстоведа, ныне покойного Мады Азисовича Абдужабарова (Витя у него временно квартировал). Прислал мне письмо Витя и погиб – отчаянный мотоциклист был. Вот почему занесло меня в Среднюю Азию – на могиле друга побывать и на местные пещеры посмотреть. Принял меня Мады Азисович как родного (гостеприимство узбеков – закон). Кроме того, в эти года мало кто из спелеологов и карстоведов туда ездил – считали местные горы неперспективными для поиска пещер (уж больно там сухо). Приезжал как-то сам Груздёв из Москвы (корифей советской спелеологии), поднялся на перевал и заявил, с ишака не слазя, что для карста здесь дождей маловато. Зимой бы ему побывать – снега до трёх метров глубины в сугробы наметает. Мады верил, что глубокие пещеры в его горах есть. И оказался прав!

Погостил я у Абдужабарова пару деньков, поучился плов готовить, и пристроил меня гостеприимный хозяин на экскурсию по старинным городам Самаркандской области. В автобусе на заднем сидении познакомился я с Таней. Она была инженером, строила атомные подводные лодки в Северодвинске, а в отпуске путешествовала по Средней Азии. Ее туристская группа состояла из работяг и колхозников преклонного возраста. Таня скучала безбожно, поэтому мне не пришлось долго уговаривать ее бросить группу и пойти со мной на хребет Чакыл-Калян искать пещеры. Кое-какой реальный туристский опыт у Тани был, а мне нужен был попутчик, и я его таким образом нашел.

Поднялись мы на плато Кырк-Тау и не пожалели кед, разбитых о щебень предгорьев. Плато было прекрасно: ферулы ещё не отцвели, сиреневые ковры чабреца дышали целебным запахом, созрела мелкая, но сладкая горная вишня. Ну и радости, значимые для спелеолога, присутствовали в виде множества карстовых воронок и провалов. Оставил я уставшую Таню около родничка отдыхать, а сам побежал по карам, заглядывая в каждую дырку, – искал достойную внимания пещеру. В одной из воронок нашёл неглубокий колодец глубиной метров пять, в который можно было проникнуть без верёвки, спустился вниз и ... О, подарок судьбы! Огромный жирный барсук блестел зубами и глазами, забившись в угол между камнями! Поскольку консервы и заплесневевшая колбаса мне приелись, барсука пришлось убить. Вечерком около родничка я его освежевал, насадил на шампур из ветки горной вишни и на костре из пересохшего конского кизяка зажарил. Татьяна вначале боялась прикоснуться к этому изысканному блюду, но голод не тётка, и мы прекрасно поужинали под яркими звёздами азиатской ночи. Так мы с Таней открыли для Киева замечательное карстовое плато, на котором была глубочайшая в стране по тем временам пещера КиЛСИ (Киевская лаборатория спелеологических исследований). Через полгода я пригласил Таню приехать в Киев и выйти за меня замуж – сыну Сергею нужна была мать, и этот вариант показался мне разумным.

– Так что же у вас не сложилось?

– Вначале всё было, вроде, хорошо. У нас появилась двойня, Катя и Максим, поэтому нам даже квартиру дали на Оболони. Но к тому времени я окончательно «свихнулся» на почве поиска новых пещер, пединститут бросил и поступил в университет на географический факультет. К тому же Татьяна устала от небогатой жизни и от мужа, для которого пещеры были важнее всего на свете. Погоревала женщина годик и уехала с детьми к сестре в большой город на берегу Азовского моря. Оставила она мне квартиру, старенький телевизор и алименты в треть зарплаты. Похоже, что Татьяне от меня нужны были только дети, а сам я с моими пещерами вроде как не очень.

Обдумал я всё это и решил больше судьбу не грузить, а остаток жизни прожить холостым.

– Эй, дед! Что-то у тебя с воспоминаниями не клеится. Где ты тогда мою бабушку взял?

– Дело в том, что остатка жизни оказалось слишком много. Ученики мои росли и однажды среди них появилась студентка пединститута Людмила Лукьянчук – твоя будущая бабушка. Девушка небольшого роста, очень спортивная, мух ладонью ловила на лету – ее за это и за крутой характер змеей прозвали. Хороша была на скалах, в пещерах, на соревнованиях и активна на привале в походе. Лучший помощник руководителя пещерных авантюр в качестве завхоза. Кроме того, в институте на военной кафедре она прошла курс медсестер и поэтому была в походах незаменима, особенно если приходилось кого-нибудь спасать. А она это умела. И даже там, где больших здоровых мужиков хватало в избытке, твоя бабушка была на вес золота. Знала, куда, с чем и зачем пострадавшему шприц воткнуть. Спасатель она была по натуре настоящий и, видно, решила меня спасти от одиночества. Вокруг нее таких одиноких хватало, и почему она решила взять именно меня, не знаю. Правда фамилию, из вредности, менять не стала – заявила, что каждый раз менять не стоит. Утомительно, мол, это. Так вот и живём вместе уже сорок годков, хоть она младше меня на четырнадцать лет. Не богато живём, но мирно. Почему не надоели друг другу? Спроси у нее, когда домой вернёмся.

– Так моя бабушка – бывший спасатель? Как мультяшные Чип и Дейл? – улыбнулся Сашка.

– Бывших спасателей не бывает, – возразил я юмористу. – Она и сейчас выдёргивает сестру из смертельной болезни, меня спасает от старости, а тебя от тебя самого.

Пересекли границу Флориды и въехали в Джорджию. Сашка задумался о чём-то, и мне, кажется, я знаю о чём: «Вот почему у меня бабушка такая надёжная. Как скала! Правда ехидства в ней до хрена и больше – это у нас в семье фамильное. И дед тоже не подарок на Рождество. Как это ему с бабушкой удалось столько лет вместе прожить? Полагаю, что он сам этому удивляется».

А может, и не думает внук сейчас о нас с Людкой. У него своя американская жизнь: школа с усиленным обучением, пианино, чтоб ему пусто было, и академическая гребля. Есть о чём поразмыслить, да и возраст своего требует. Девочки – хищницы, американочки спортивные вокруг вьются, а он у меня двухметровый Гарри Поттер.

Страшно такого на регату бог знает в какие края на три дня отпускать. Дома оно, конечно, легче. Если что не так – дед и баба всегда рядом, помогут, пока живы – здоровы и удачливы, по большому счёту. А это не каждому дано. Но года капают не спеша, глядишь, через три года и в колледж на край света аж в Бостон парню пора. Справится ли? В его комнате на стене фломастером написано: «Искать удивительное и не уставать удивляться». Я этой дорогой ходил. Приключений на ней больше, чем достаточно.

9. ПАНТЯ

Памяти Геннадия Серафимовича Пантюхина

Работал я в какие-то давние года в Республиканском дворце пионеров руководителем спелеологических кружков и заведовал кабинетом краеведения. Мои кружковцы росли, мы рыскали по стране в поисках новых пещер и находили их. Спелеология в стране тоже развивалась, организовывались учебные спелеологические лагеря для желающих повысить свою квалификацию. Поскольку жить на отшибе нехорошо, пришла нам пора присоединиться к обществу, и мы поехали в Крым в спелеолагерь к Гене Пантюхину. Мощный был мужик Геннадий Серафимович (а для своих Пантя), известный на всю страну покоритель пещер. Собрали нас на турбазе «Ангарский перевал» под самым Чатыр-Дагом, чтобы подготовиться к выходу в горы. Там мы с Геной и познакомились. Случилось это так. Я, Саша Резников и Саша Климчук нашли около кафе тележку для перевозки грузов, соорудили на ней примитивный руль и устроили катания по старой дороге, серпантином спускавшейся к трассе Симферополь – Ялта. Там было с километр не хилого спуска. Катались с гиканьем и воинственными криками – чем и привлекли внимание Гены. Ну, думаем, мало не покажется, выгонит из лагеря к чертям собачьим. Но Пантя всего-навсего тачку отобрал и сам зарулил вниз по дороге. Минут через сорок возвратился, хромая на обе ноги (видно, где-то не вписался в поворот), обругал нас нехорошо и приказал катания прекратить. С того времени я оказался у него на примете. Назначил он меня комендантом лагеря. Комендантом я показался народу строгим – армейская выучка сказывалась. Утром поднимал зычным «Рота, подъём!»; опоздавших в строй наряжал окурки по лагерю собирать; пищеблок и дежурные в лагере работали как часики; палатки по ниточке стояли, тщательно окопанные, чтобы при дожде постояльцам не замокнуть. Ну и, конечно, зарядка с пробежкой обязательной – как без этого.

Учебная программа лагеря была нехитрая: лекций минимум, практических занятий побольше, а в основном, набирались опыта прохождения вертикальных пещер.

Спускались и поднимались мы тогда в пещеры по тросовым лестницам с перекладинами из обрезков раскладушек или лыжных палок с верхней страховкой при помощи верёвки. Это в те времена значило по ходу штурма расставлять на уступах страдальцев. Таким образом до дна обычно доходили один или два человека, больше–редко. Занимало такое развлечение бог знает сколько времени и обеспечивало мёрзнувший личный состав разного рода простудными болячками. Мне подобный метод путешествия по пещерам не нравился, поэтому мои воспитанники ходили по лестнице на самостраховке, пользуясь для этого провешенной параллельно лестнице верёвкой. Завязал на верёвке куском репшнура узел Прусика или Бахмана, прищелкнул карабином к грудной обвязке – и пошёл. При необходимости по этой верёвке можно было и спуститься, если подложить протектор на перегибах пещерного рельефа, чтобы не было потёртостей. Такая техника никак не вписывалась в правила безопасности, которые декларировало нам московское начальство, но зато позволяло киевлянам в кратчайшее время провести штурм, не мёрзнуть и всем участникам побывать на дне. Когда Гене доложили, что киевляне пренебрегают верхней страховкой, он пробурчал:

– Херня всё это, япона мать! Сильному – верхняя страховка не нужна, а слабого – не спасёт. Ты ничего не видел и мне не говорил.

Пользовались мы в те времена двумя видам верёвок, купленными у рыбаков – те подешевле, или у альпинистов – те подороже. Дешевые карабины изготавливали нам тайком на заводах [illegible]. Дорогие абалаковские – мы в Киеве покупали, у команды киевских альпинистов Моногарова. Там же доставали брезентовые страховочные ремни армейского образца. Каски у нас были тоже разные: метростроевские, строительные, мотоциклетные, у психов – велосипедные, – кто какую достал. Светильники тоже всякие, кому какой случай послал. Большинство прикрепляли к каске головки от китайских фонариков, а я как-то из Горловки для своих привёз шахтёрские фонари. В них патрон поменяли на подходящий к маленькой лампочке и провод присоединили к плоской батарейке или к блоку круглых, перемотанных изолентой для прочности и гидроизоляции. Блоки мотали вечерами, собравшись в какой-либо гостеприимной палатке. Мальчики там – и девочки, конечно... Сами понимаете, что без романов не обходилось. Тоже надо... С тех пор выражение «крутить блоки» имело у нас два значения. Комбинезоны использовали хлопчатобумажные, которые рабочим на стройках выдавали. Под комбинезоны надевали что потеплее. На ноги – полиэтиленовые кульки в ботинки или резиновые сапоги.

Вот с таким снаряжением мы и учились штурмовать вертикали. Сейчас даже страшновато вспоминать, но лучшего не существовало в СССР, да нам и не надо было. Неприхотливы мы были и смелы до бесшабашности.

Спелеологическую технику, скопированную с военизированной альпинистской, разработал для нас в Москве тогдашний председатель «всея» спелеологии Илюхин и внедрял с обычной для тех времен беспощадностью. Это значило, кто против такой техники – враг народа и мало ему не покажется. И вообще – кто не с нами, тот против нас. Теперь мы называем это всё «брезентовой техникой Абалакова» – другой на выбор у нас в те времена и не было, но мы искали. Через некоторое время с увеличением глубин пещер до 500 метров и более «брезентовая техника» перестала нас устраивать совсем. Мы в Киеве и в других спелеологических центрах стали ее совершенствовать и в конце концов сквозь опыты и ошибки пришли к современной технике. Сейчас у спелеологов всё по-другому, но нельзя забывать, с чего мы начинали, и нужно поклониться киевским ветеранам, которые прошли через все мои, иногда рискованные, эксперименты.

Пещеры на Чатыр-Даге, по сравнению с Кавказскими, не велики и не суровы, поэтому для «учебки» очень даже подходящие. Много времени штурмы не занимали: была возможность пообщаться, подружиться и порезвиться. И в этих «резвилищах» мой шкодливый характер опять проявился. А как же иначе! Проводим как-то учебные спасательные работы на Трёхглазке – это три параллельных колодца, самый глубокий из них метров тридцать. Колодцы местами соединяются окнами, на дне снежник. Тащим из пещеры помаленьку в брезент завёрнутое учебное бревно на носилках, из толстых веток связанных. Мимо туристская группа с рюкзаками ползёт – языки от усталости через плечо. Остановились около нас передохнуть и посмотреть, что происходит. Один из ребят подходит и спрашивает робко:

– Что это у вас тут?

Отвечаю ему серьёзно так:

– Покойничка с пятисотого метра тащим вторые сутки. По щелям плохо проходит, приходится стены долбить, чтобы расширить узости – расчленять тело начальство не велит. Жрать хочется в усмерть, поскольку продукты не подвезли – машина сломалась.

Парень убежал к своим, пошушукался там о чём-то и тащит к нам мешок с тушенкой, колбасой, сыром и прочими деликатесами. И нам хорошо и им меньше тащить. Поблагодарили мы ребят душевно, туристская группа ушла своей дорогой. Мы бревно благополучно на поверхность вытащили, перекусили, чем туристский бог послал, и потопали в лагерь. Ну а вечером кто-то Геннадию Серафимовичу меня заложил: Яныч, мол, туристов грабит! Вызвал меня Пантя к себе и говорит:

– Докладывай, что там произошло.

–Пацаны скучали. А тут турьё мимо проходит, ну я и решил ребят поразвлечь. Говорю, мол, жмура третий день из пещеры тащим и изголодались страсть как. Не думал, что туристы за продуктами побегут. Отказаться было смешно, и народ не понял бы. Готов понести наказание.

–Херня всё это, япона мать! – прорычал Гена. – Спелеолагерь не институт благородных девиц. И подоить туристов не преступление, а подвиг. Распорядись, чтобы добровольцы футбольное поле подготовили – завтра устроим чемпионат лагеря.

Такой вот был Пантя человек.

***

Последний раз я видел Гену на Караби около шахты Виолы. Вчера ночью. Во сне. Сидит он на брёвнышке перед мольбертом, на котором какой-то неоконченный пейзаж. На кустике комбез грязный сушится. Рядом каска лежит. И сам Гена не такой, каким ушёл от нас, – усталый от жизни и смертельно больной человек. Нет! Передо мной сидел крутой мужик, которому пещерные реки по колено из тех далёких времён, когда мне не было ещё тридцати, а ему немногим больше.

Я подошёл к Гене, поздоровался и присел рядом.

Откуда-то появился столик с бутылкой портвейна Таврического и двумя стаканами. Гена разлил вино, и первый раз мы выпили молча. Не чокаясь. Пантя налил опять и пробурчал:

– Будь здоров, бандит! Ну что, сбылась твоя мечта удивить мир рекордом? Твои, говорят, на Арабике прошли пещеру двухкилометровой глубины?

Я смутился:

– Не был я там. Мои парни сделали две тысячи в Вороньей без меня. Я, если ты помнишь, дошёл только до полторы тысячи в твоей пещере на Бзыби.

– Это когда на шестисотом метре тебе камнем в башку угодило? Когда ты отказался от помощи и вышел на поверхность сам?

–Спасательные работы нам были ни к чему. И так не всё ладно получалось. Надо было самому выходить. Вот я и вышел.

– Сотрясение мозгов вещь коварная, – буркнул недовольно Пантя. – Слава богу, обошлось.

– Это если мозги есть, – натужно сострил я. – Как ты тут?

– Нормально. Скучаю временами. Наших здесь немного.

– А как здесь на счёт дам?

– Тебя это ещё тревожит, старый бабник? Когда же ты успокоишься?

– Грешен, батюшка. Если правду говорили про моего деда, ещё лет пять буду грешен.

– Ну и слава богу. А дам в наших местах по уставу не положено. Для них здесь отдельные понты. Да и не очень хочется, поскольку портвейн архангелы святой водой и нектаром безбожно бодяжат.

Налил Пантя ещё по полстакана:

– Парни рассказывали, что в девяностых ты лагеря для новичков проводил.

– Не совсем для новичков, – возразил я. – Надо было переходить на европейский стиль прохождения вертикальных пещер и развивать технику спелеологических восхождений. Провёл я тогда пару семинаров для инструкторов и два лагеря для спелеологов с приличным спелеологическим опытом. Вроде, получилось неплохо. В этом году опять парни идут в Воронью за двухтысячный метр. Жаль, что мне там уже не побывать. Мне порядком за семьдесят.

– Херня всё это, япона мать! – прорычал Гена. – Ты будешь там вместе с ними! И я! И все наши, кто не дошел и не дожил! А кто этого не понимает, тем грош цена.

Помолчали ещё пару минут, Гена выплеснул на розовый песок остатки вина из стакана и сказал:

– Теперь уходи. Долго быть живым здесь нельзя, а тебе к нам ещё рано. Иди внуков поднимать, и книжку твою о пещерах неплохо бы дописать, пока что-то помнишь. Шевели ногами, бандит. Отсюда выбраться непросто. Я тебя подстрахую.

10. ИНДЕЙКА НА ДЕНЬ БЛАГОДАРЕНИЯ

День благодарения в Америке – замечательный праздник. Особенно для тех, кто недавно прибыл в эти благословенные богом места. Мы здесь живём чуть более двадцати лет. Дочь наша на этом континенте стала взрослой, родила пятнадцать лет тому назад нам внука, а еще через девять лет и внучку. Я заработал в Америке свою небольшую пенсию, но и не маленькую, если сравнить с той, которую мне дала бы Украина. Впрочем, так и не дала – зажала красавица. Короче, мы этот праздник отмечаем с удовольствием и благодарностью. На столе в День благодарения по обычаю должна быть турка (индейка), сладкий картофель и клюквенный соус, а вдобавок к этому и всяческие другие разносолы, привычные нашему праздничному столу. Картофель мы купили в магазине, поскольку выращивать корнеплоды на цветочных клумбах в наших краях не принято. Клюквенный соус приобрели там же, а вот турку покупать настоящим мужчинам в супермаркете – великий грех. Тем более, что неизвестно, кто и чем её, бедолашную, кормил и сколько времени она в морозильной камере томилась.

Добыть турку нам с внуком Сашкой было положено в лесу, куда мы и выехали как обычно часа за три до рассвета. Жена была, правда, против:

– Зачем ехать к чертям на кулички за птицей, у которой только кожа и кости? Потратите день, полный бак бензина сожжёте, а если застрянете где-нибудь в болоте, так и техпомощь обойдётся больших денег. Гораздо дешевле получится купить в магазине.

Резонно, грубо, но настоящих мужиков женским скандалом не остановить, и мы таки вырвались на охоту в богатые дичью места. От нас туда рулить по семьдесят пятой тридцать миль на юг, а там по Ривер-Роуд двадцать миль на запад. Для бешеной собаки и такой крюк – не крюк. Настроение было боевое и вооружены мы были достойно: я луком с боевыми стрелами, а внук – могучим арбалетом, купленным на гараж-сейле по сносной цене.

Едем по пустой трассе быстро, за рулём Сашка, а я его мозолистым рукам доверяю. Почему в его юном возрасте руки такие мозолистые? Академическая гребля пять раз в неделю – это вам не подарок к празднику. Пахота там ещё та! Спросил я его как-то:

– Не жалеешь, что перешел с плавания на греблю?

А он мне с ухмылкой ехидной такой:

– Лучше мозоли на ладонях, чем хлорированные жабры в заднице.

Где он этого грубоватого юмора набрался? Жена говорит, что у меня. Может быть. Пусть себе гребёт на здоровье. В колледже пригодится. Там спортсмены в почёте.

Лес, в котором мы планировали наш охотничий подвиг, находится за Норт-Портом южнее дороги Ривер-Роуд, которая соединяет Семьдесят пятую интерстейт с Энгельвудом. Места там заповедные, лес был посажен энтузиастами в прошлом веке на месте вырубленного первопоселенцами такого же. Участок густо зарос сосной, пальмами, серебристым дубом, заселился богатой дикой живностью и стал заказником. За умеренную плату в этом заказнике позволялось охотникам гоняться за оленями, индюками и дикими кабанами, если, конечно, повезёт их обнаружить и догнать, а дело это нелёгкое, требует удачи и здоровья.

Приехали мы в заказник к рассвету и подрулили к офису егерей. Дежурный охранник природы спросил, сколько мне лет, Сашку спрашивать не стал, выдал карту, коротенькую инструкцию и отпустил с богом, очень сомневаясь в нашей квалификации как охотников на животных. Даже лайсенс (разрешение) не стал проверять.

Загнали мы наш доджик в лес туда, куда позволяла его проходимость, но и недалеко от ограды заказника, чтобы потом легче было найти. Выбрали тропку не слишком болотистую и пошагали. Следов живности было навалом. Особенно дикие кабаны отличились, ковыряя землю везде, где могли, чтобы пропитание себе раздобыть. Встречались следы оленей, больше всего было отпечатков лап ракунов – енотов по-нашему. Видели след пумы и даже медведя. А вот самой живности, достойной охоты на неё, не встретили. Только птиц немного, но зато очень красивых. Кардиналы и гигантские дятлы были особо хороши. Ну и зелёные попугаи тоже, только уж очень шумные, а охота тишину любит. И ещё грибов было много. Во Флориде народ их не собирает. Дешевле и безопасней в маркете купить, но выбор там невелик. Разве только в китайских магазинах сушеные разности можно брать, но цены там кусаются. В Украине, помнится, я грибы собирал в Карпатах и в Приднестровье. Около пещеры Оптимистической на Тернопольщине брал, бывало, грибы мешками и сушил на кирпичном заводике. Я тогда работал в спелеологическом отряде Института геологи при Академии наук у будущего доктора наук, тогда ещё Саши Климчука. Вагончик наш стоял на опушке леса. С утра пораньше заползали мы с Машенькой Чурубровой в пещеру, делали гидронивелирование по маршруту от входа до зала Циклоп, а после обеда уходили в лес за грибами. Опят, помнится, в том году было немерено. Собирал обычно к вечеру пару ведер и тащил на кирпичный завод сушить. Расстилал газеты на горячих после обжига кирпичах, выкладывал грибы, и за ночь они высыхали. Запах от завода шел обалденный! Времена для инженера в те времена были небогатые, и запас грибов на зиму в доме выручал.

Короче, бросил я охоту на живность, повесил свой лук на пальму и стал сыроежки собирать. Они здесь такие же, как и у нас. Попадались грибы, похожие на белые, но я их не брал. Бог знает, какие они в субтропиках. У нас в посёлке одна семейка как-то отравилась такими грибами. С груздями тоже не связывался, с ними возни много, а вот шампиньоны грёб под корешок. Внуку Сашке грибы были ни к чему – ему пострелять охота. Вот и метался парень по окрестностям со своим арбалетом, наверное, видел чего-то и даже стрельнул пару раз, но только два болта потерял (болт – это стрела для арбалета). Один, правда, нашёл, но еле из сосны выковырял.

Часа четыре лазили мы по колючим кустам, а потом притомились, заскучали и стали к машине выбираться. Заплутали немного, но не слишком. Идём, значит, по знакомой просеке, уже и машину нашу видать вдалеке: внук впереди, я чуть отстал – (возраст не тот за парнем длинноногим гоняться). Вдруг смотрю: внук пригнулся и почти пополз вдоль просеки со своим «болтомётом» наизготовку, от чего-то прячась. Потом руку поднял, чтобы я остановился и не мешал, ну я и застыл – дисциплинированный, значит.

Вдруг слышу воинственное «Ура! Есть!». – И внук рванул бегом к машине. Я за ним! Не дай бог в стекло влупил. Баба Люда со света сживёт.

Выбегаю на полянку перед паркингом – Сашка вопит благим матом от восторга и танцует тарантеллу с огромным индюком в руке! Кровь с птицы на новую штормовку капает, ещё какие-то большие птицы в ужасе с поляны разбегаются – победа безоговорочная!

Фотографирую охотника с его добычей, засовываю жертву в толстый полиэтиленовый мешок, чтобы в машину кровь не натекла, бросаю в кузов и уговариваю Сашку ехать домой, поскольку хватит нам одного индюка на всю семью. А внук всё рвётся вдогонку за разбежавшимся стадом... Но здравый смысл победил – и мы вырулили в обратный путь.

Забить неосторожного индюка – это конечно, победа. А вот ободрать с него перья – прямо скажем, подвиг, к тому же мой! Женщины отказались это делать категорически, но на ценные советы не поскупились. Потратил я на обдирание птицы кучу времени, потом замариновал сначала в пиве, потом в луковом соке, натёр растительным маслом с чесноком, присыпал мукой, чтобы поры на шкурке законопатить, и прошелся по поверхности кисточкой с майонезом. Нафаршировал я индюка куриным фаршем с грибами, солью слегка посыпал, красным перцем сдобрил и в конце концов засунул в духовку. Не совсем в американских традициях, но я их особо и не придерживался. Мне главное, чтобы птица получилась сочная!

Семье моя готовка понравилась. Даже женщины хвалили и удивлялись: «Дикая турка, а такая пышная!». Может, не такая уж и дикая? Может, заболталась с подругами, далеко от дома отошла и в лес забрела? Бывает…

Вот такая у нас получилась охота. Надо бы как-то съездить в этот заказник мой лук разыскать, а то висит бедолага на сучке где-то и за приключениями скучает.

11. КАК ТРОТ СТАЛ РАДУЖНЫМ И ПЯТНИСТЫМ

Внуку моему пятнадцать лет. Парень он у меня классный. Мы вместе и на рыбалку за рыбой, и в горы за камнями, и в пещеры за приключениями на задницу. Короче, он у меня на руках вырос. В переносном смысле, конечно, слова. Как-то вечером заваливает это двухметровое чудо очкатое в мою комнатушку и сообщает:

– Дед! Я тебе по «мылу» рассказ свой переслал. Почитай и ошибки исправь. Нам в школе задали, я на английском написал, а для тебя с бабушкой на русский перевёл.

– Ок! Допишу письмо сестре и прочту.

Таки смена растёт. Ещё пару рассказов, написанных на хорошем английском, переведенных для деда и бабы на кое-какой русский, и можно себе подбирать место в мемориальном парке где-нибудь под сосной, поодаль от шумной дороги.

Короче, прочитал я Сашкин рассказ. Стиль поправил, кое-чего добавил (как же без этого) – и что-то получилось в любимом мной стиле «волшебная Флорида». Правда, идейка сказки не нова и автор – «величайший флоридский рыбак Алекс Длинная Удочка» – пожалуй, от скромности страдать тоже не будет. Ну и хрен с этим. Я в его годы тоже был не подарок. Исправил я последнюю грамматическую ошибку в Сашкином рассказе, добавил к месту или не совсем горсть запятых, посомневался чуток, но отправил в «Нашу Флориду». Читайте!

Это случилось давно, когда Флорида поднялась к жаркому небу из глубин океана, разделив его на Мексиканский залив и Атлантику.

Или совсем недавно. Может быть, даже вчера. А скорее всего, это было всегда, пока существует настоящая дружба.

Так вот... Не было в Мексиканском заливе более симпатичной рыбы, чем Ред Фиш (красная рыба). Ред вырос большим, с дельфина величиной. Ну, может, чуть поменьше. Жили в заливе рыбы покрупнее, покрасивее, посильнее, но более симпатичной не было. Его красная спина, четыре чёрных пятна на хвосте, нрав и добродушная улыбка были очень привлекательны. Друзей у Реда было не счесть. Самыми преданными его друзьями считались большие полосатые рыбы с зубами, похожими на зубы овцы, которыми удобно крошить раковины, чтобы добраться до нежного мяса устриц. Этих рыб так и звали шипс хед фиш (баранья голова). Самым большим другом Реда был великолепный Снук мощная рыба-охотник, похожая на судака с длинной чёрной полосой вдоль тела. С ним весело гонять на перегонки сквозь стаю вкусных грин бек (зелёная спина), распугивая рыбную мелочь лихим виражом. Дружил Ред и со снеперами (окунями), агрессивными и вороватыми, но лучшими на вечеринках.

Были, конечно, у Реда и неприятели. Больше всего ему не нравился Трот (морская форель), который отвечал ему взаимностью. Трот был огромен и силён, но чешуя у него была непривлекательно серая, что для Флориды с ее ярким красками нетипично. Поэтому его так и называли Серый. Но особо непривычно смотрелась его голова с двумя огромными зубами, торчащими из нижней челюсти. На подводных пари рыбы-девушки на форель не обращали внимания и вообще старались держаться подальше, побаиваясь недобрых глаз серого чудовища. Некоторые даже считали, что если прикоснуться к форели, то можно оцепенеть и стать добычей какой-нибудь акулы. Так бы и враждовали Трот и Ред, но однажды...

Это случилось субботним утром в проливе между океаном и каналом, отделяющим материк от островов, в любимом месте рыбаков – около каменной волнозащитной дамбы, у городка Норд Венис (Северная Венеция). В Америке многие города и посёлки носят европейские названия, потому что основывались переселенцами из Европы правда на тех же местах, где раньше были поселения индейцев, которых пришлось выжить. Но рыбам было всё равно, кто их ест: индейцы, испанцы или англичане – и они сегодня ловиться не желали, а гонялись за креветками, которых много приплыло в это время года из Мексики.

На проливе между островами в солнечный день обычно людно и весело. Дельфины, хвастаясь своими мощными телами, прыгают высоко над волнами: то ли за самками гоняясь, то ли за рыбой. Кстати, вы знаете, как дельфины ловят – рыбу? Они врываются в стаю, хвостами глушат намеченную жертву, перебрасывают вперёд через себя, а потом не торопясь поедают её – этакое бесплатное шоу для туристов (а их собралось на берегу множество). Тут же могучие тарпаны гоняються на перегонки с катерами, посмеиваясь над рыбаками, которые мечтают поймать их. Время от времени огромный ламантин поднимается из глубин пролива, чтобы посмотреть, чем занимаются на берегу чудаки с удочками в такой «неклёвый» день. Но люди не унимаются – и, поэтому всплески от приманок и блёсен, забрасываемые рыбаками в лазурные воды, становились всё чаще и чаще.

Так бы всё это и было мирно, но ближе к девяти часам на берегу появился величайший флоридский рыбак Алекс Длинная Удочка. Его так называли за самую длинную удочку в этих краях, самые острые крючки, самую лучшую приманку и редкую рыбацкую удачу. Вся мелкая рыба тут же попряталась в коралловых пещерах, снук нырнул в глубокую яму, тарпаны уплыли в море, подальше от Алекса, а камбала зарылась в песок. Серый Трот тоже схоронился в водорослях и только Ред не стал прятаться, поскольку поспорил со снеперами (окунями по-нашему), что сумеет обмануть Длинную Удочку и украсть с его крючка приманку.

Алекс собрал своё огромное удилище, намотал на катушку прочную желтую леску (под цвет лучей солнца в толще воды), приладил грузило и метровый прозрачный поводок, подцепил красный поплавок, насадил на крючок большую вкусную креветку и забросил приманку далеко в пролив вверх по течению. Теперь главное – не торопиться и ждать, пока наживка не пройдёт свой путь вниз по проливу. Потом вытащить снасть и опять забросить вверх по течению. Алекс знал, что Ред где-то здесь, и догадывался о его намерении обворовать рыбака. Посмотрим, кто кого! Ведь сегодня у Алекса необычная снасть. Мало того, что крючок тройной и лазерной заточки, ещё и тонкая, невидимая в воде леска ведёт от этого крючка к трём поменьше, прикрытых тонкой веточкой водоросли.

Ну вот, плывёт себе по течению большая креветка, видно, устала прыгать, а за ней – водоросль (их там много плавает). Так можно обмануть кого угодно, но не бывалую рыбу. Ред выплыл из своего убежища в камнях и осторожно подплыл к приманке. Большая креветка пахла очень заманчиво, и рыба осторожно потянула ее за хвост, чтобы стянуть с большого крючка. Можно было бы откусить половину шримпа (криветки), но в этом не было бы спортивного интереса, и Ред осторожно, чтобы не задеть острия, взял на себя приманку сильнее. Александр почувствовал, как натянулась леска, подождал три секунды и резко дернул удилище вверх, чтобы подсечь слишком смелого вора.

Ред выплюнул креветку, метнулся прочь, но тройник уже впился в верхнюю губу, а вторая леска обвилась вокруг его тела и три крючка впились рыбе в спину. Ред резко дернул изо всех сил, чтобы сломать крючки, но рыбак уже ослабил тормоз катушки. Алекс чувствовал, что попалась крупная рыба и сидит на крючках крепко. Сразу тащить ее на берег было неразумно – жертва могла порвать снасть, поэтому рыбак стал стравливать леску с катушки, чтобы поводить рыбу по заливу и утомить. Ред потянул снасть по проливу в океан, потом свечой взмыл над волнами раз и ещё раз, но замечательная сверхпрочная жёлтая леска выдержала. Вся рыба в округе притаилась, наблюдая за поединком, и только Серый выплыл из своего укрытия на открытую воду, чтобы увидеть, как рыбак вытащит на берег его недруга.

Алекс стравил почти полную катушку лески, но потом стал потихоньку подтаскивать жертву к себе. Так чередуя ослабление лески и подтягивание, умелый рыбак подводил Реда всё ближе к берегу на мелководье к песчаному пляжу. Народ побросал удочки и столпился вокруг от Алекса, наблюдая за схваткой. Серый тоже видел, что дело у рыбака идёт к удачному концу. Он был, похоже, рад происходящему, но всё же…

Вдруг что-то внутри Трота вздрогнуло, защемило сердце. Он рванулся к леске и клацнул зубами по ней. Натянутая как струна, она выстрелила разрывом, зацепила один из зубов Серого и вырвала его с корнем, а второй обрывок лески, ведущий к Реду, обмотался вокруг головы форели. Тут сам Ред собрав последние силы, взлетел над волнами ещё раз и сломал крючки, соединявшие его с Тротом. Оглушенный двумя сильными рывками Серый перевернулся брюхом вверх, опустился на дно, и течение понесло его в океан к акулам, которые были бы не прочь побаловаться на завтрак рыбой. Но не случилось. Над Серым кружили Ред с друзями, и они не позволили атаковать беззащитную форель, пока Трот не пришел в себя и не нырнул в укрытие в пещере под волноломом.

Вот так и получилось, что Ред Фиш и Трот подружились. Ред подарил Троту половину своих чёрных пятен, разбив их на множество мелких и украсив таким образом серое тело. А потом отдал форели и часть своей радужной чешуи. Правда, остался у Трота только один зуб, но зато жёлтая леска в память о дружбе с Редом превратилась в жёлтую полоску вокруг рта и сделала форель очень симпатичной. Трот стал по-настоящему привлекательной рыбой, и друзей у него теперь много, не меньше, чем у Реда. Они любят вместе собираться весёлой компанией на поляне в водорослях, рассказывать нехитрые морские истории и танцевать свои лихие рыбные танцы.

Ну а Алекс собрал удочку и уехал на своём джипе очень огорчённый. Спросите почему? Ред был слишком большой и его нельзя было взять домой по закону штата Флорида. Сфотографировался бы Алекс с огромной рыбой на руках и отпустил в море. Как всегда.

ЧАСТЬ III

СПАСАТЕЛЬ

Триста лет из частной жизни семьи крымского спасателя Юрки Костюка (Повесть, написанная Олегом Костюком для своего сына, которому очень хотелось знать, как началась жизнь на Земле и что было до того)

Восход и радостен, и светел,
Но не открыть лицу лица...
По переулкам гонит ветер
Листы истлевшего свинца.

(Из ранних стихов Юрия Костюка,
Крым, Канакская балка,
2090 г.)

1. ВРЕМЯ КРЫС

Рассказ первый

(Предчувствие удачи. Дорога на Караби.
Белый снег. Собаки. Вертолет.)

Предчувствие удачи разбудило Юрку ранним утром. Как только спасатель Костюк поднял над своей баржей перископ и осмотрел побережье, вверенное его попечению, привычная головная боль с лобных долей переместилась к затылку и утихла. Такой замечательной погоды он не помнил. Склоны Канакской балки и берег от Рыбачьего до Приветного хорошо просматривались даже сквозь потерявшую просветление, тронутую грибком оптику. Фенольная туча, висевшая последние две недели над Караби-Яйлой, ушла в сторону Роман-Коша. Крутые южные склоны Караби в лучах восходящего солнца, давно не баловавшего эти места, поблескивали свежевыпавшими обрывками полиэтилена, а вытекающий по балке к морю розовый кислотный туман с сиреневыми оборками болотных испарений опустился совсем низко и местами исчез. Впервые за полгода горы Янтуру и Стаурнын-Бурну показали свои вершины, украшенные живописными обломками бетонных акведуков. Росинка еще спала, и Юрка прошел по коридору к гидропонной установке, экономно подсвечивая себе фонарем, чтобы не задеть свисающие со стен кабеля и не загреметь отставшими от пола листами железа.

Баржа приходила в ветхость, и если не отремонтировать ее в ближайшее время, зимние шторма выбросят судно на берег. А там крысы...

Хорошо, что крысы выходят на поверхность только ночью или когда с запада наваливаются бурые туманы, снижая видимость в оптическом диапазоне до 5-10 метров. Днем эти опаснейшие звери (длина без хвоста 90 см, вес 40 кг.) прячутся в своих штольнях, о которых у крымских спасателей ходят странные легенды. Похоже, что в этих подземельях крысы ни в чем себе не отказывают. А может, это уже и не крысы...

Впрочем, как всякий спасатель, Костюк философствовать не любил, а решения принимал, чаще интуитивно, чем опираясь на точный прогноз. Да и что можно было бы предсказать в это время?.. Сутки, а может, и больше относительной безопасности передвижения в горах погода обеспечивала – вот и славненько. Значит, можно выходить. Дальше оттягивать задуманное было нельзя.

Надергав в теплице зеленого лука и выбрав десяток шампиньонов, выглядевших наиболее симпатично, Юрка зашел в кухню. Консервированный хлеб, сало, стакан порошкового молока, разведенного на не свежей воде, грибы, лук и огромная кружка кофе – завтрак слишком роскошный, но сегодня придется «покувыркаться» от души – значит, и заправиться следует плотнее обычного.

Позавтракав, Юрий перешел в мастерскую, бросил в рюкзак пустой резиновый мешок, штатный продовольственный паек в жестяной упаковке, аптечку, моток веревки в ярко-красной оплетке. Проверил содержимое сумки с радиометром и универсальным химическим анализатором. Взял из стойки автомат, вставил рожок, дослал патрон, влез в комбинезон химической защиты, надел противогаз, закинул в шлюз все собранное и вошел сам.

Обычных три минуты, необходимых на смену воздуха в шлюзе, тянулись сегодня слишком долго. Но вот на панели загорелась разрешительная зеленая лампа, натужно завыли сервомоторы и тяжелый корабельный люк с ржавым пронзительным скрипом отошел в сторону. Теперь Росинка проснулась наверняка, но Костюка уже ни догнать, ни остановить было невозможно. Юрка опустил подъемный мост, перебежал на искореженную штормами пристань, дернул за рычаг стопора – и шаткое сооружение поднялось к высокому, крашенному суриком борту, отрезая Костюка от его убежища. Задумываться об этом не стоило – впереди день, ночь и еще один день непрерывной работы, если не случится что-нибудь непредвиденное...

Юрий торопился. На третий день надо быть на барже обязательно. Этому есть очень важная причина. Кроме того, ожидается заброска продуктов и воды, которая может случиться и через три дня, и через три недели. Пути транспортного турецкого бота неисповедимы.

Интересно, откуда привозят продуктовые контейнеры горластые турки в ярко-красных комбинезонах высшей защиты? Скорее всего, с каких-то в свое время неиспользованных армейских складов. Харчи, конечно, не первой свежести, но спасибо, что хоть такие есть...

Юрку жизнь не баловала, а полуголодные школьные годы в керченских катакомбах и учеба в колледже спасателей приучили его к постоянной сдержанности в еде, но вот Росинке сейчас не помешало бы немного больше разнообразия и натуральных витаминов. Хорошо бы и их найти в контейнерах. Ведь заказывал...

Никогда нельзя было сказать заранее, что придет в следующую заброску. Иногда бывали и сюрпризы. Например, прошлый раз прислали Большую Британскую энциклопедию. Юрий хотел ее выбросить за борт – Росинка не разрешила. Зачем ей все это? Да еще на английском языке? Но чаще всего приходили вещи очень полезные, например: его пятнистый герметический комбинезон, тяжелые десантные сапоги с окованными каблуками и носками, противогаз, бронежилет, автомат с инфракрасным прицелом – все это было с тех же армейских складов. Если бы не запасливость военных, то спасатели в Крыму не смогли бы не только кого-либо спасать, но даже прожить более суток вне пределов своих бронированных убежищ. Впрочем, плачевная экологическая обстановка в Крыму – отчасти результат влияния всё тех же военных...

Росинка не спала уже давно. Она слышала, как Юрий встал, как пробирался, стараясь не шуметь, по коридору в оранжерею, как влезал в свои доспехи и как осторожно откручивал маховики шлюза. Молодая женщина сидела на узкой койке, укрытой спальным мешком, сжимала своими коленями мозолистые, потрескавшиеся от химикатов ладони и изо всех сил сдерживала отчаянный вой, рвущийся из груди. Этот мальчишка ушел на Яйлу один. Он ушел потому, что так решил, и ему было глубоко наплевать на то, что Росинке придется опять быть сильной и ждать... Она знала, что минуты будут превращаться в часы, а сутки – в годы. И так будет всегда, пока когда-нибудь этот богатырь с умом ребенка не останется в горах, спасая совсем постороннего человека, или по какому-нибудь другому, не менее важному для него, поводу.

Всю жизнь ждать, пока он вернется? А где взять силы жить, если он не вернется?

Мудрейший из Всевидящих, Чик Двенадцатый возлежал на ложе из лечебных морских трав, прикрыв выцветшие от старости глаза полупрозрачными веками. Его личная штольня была, естественно, самой глубокой и комфортабельной. Две молоденькие особы, только-только пережившие первую линьку, массировали его впавшие бока и живот, перемигиваясь о чем-то своем... Они были уверены, что их повелитель спит, поэтому вели себя столь нескромно. Но Чик не спал. Он глазами Наглого Сыта (великолепный, кстати, разведчик, давно пора наградить) смотрел с обломков ретранслятора на одинокого человека, бегущего по пляжу в сторону Большой Трубы, и размышлял: «Не зря человек вышел из своего убежища в одиночку. Неплохо бы послать боевых крыс и пригласить это нелепое зловонное чудовище в противогазе к себе на беседу. Но человек вооружен, а боевики (в отличие от рабочих крыс) стоят дорого, поэтому мы подождем, когда человек будет возвращаться. К тому времени он устанет, и тогда погибших может быть гораздо меньше. А если стемнеет или появится Бурый туман, то потерь можно вообще избежать...

Возвращаться на баржу человек будет обязательно, ведь на барже осталась его самка... А не вернется – тоже не велика беда. Люди скоро уйдут все. В никуда». Заложив исходную информацию и размышления к ней в мозг секретаря, Мудрейший из Всевидящих перевернулся на брюхо, подставляя спину нежным, но сильным лапкам своих любимиц, и переключился на другие проблемы, не заботясь более о происходящем в устье Канакской балки. Все решится само собой, в положенное время и в пользу его племени. Наступило время Крыс. И надолго...

По лабиринту узких, хорошо протоптанных крысами троп Юрка пробрался сквозь руины бетонных зданий пансионатов и вышел к гигантской трубе трансфер-крымского этиленопровода. Наполовину погрузившаяся в грунт, огромная, десяти метров в диаметре, труба приходила в Крым откуда-то из-под Запорожья, пересекала степную, а потом низкогорную часть и ныряла в систему туннелей под Караби-Яйлой. На южный берег труба появлялась из-под известняковых обрывов Яйлы, вдоль Канакской балки пересекала береговые хребты и морем, по шельфу, огибая глубоководные места, уходила в сторону Румынии. Этиленопровод не функционировал со времен царя Гороха, был в нескольких местах взорван охотниками за мутантами, но идти по его поверхности считалось самым безопасным путем с побережья в горы.

Юрий поднялся на трубу по ржавым стальным скобам и пошел на север, привычно прощупывая дорогу впереди себя стволом автомата. В долине болотные заросли были буйные, опасные, но невысокие, и почти нигде не достигали края трубы. Но там, где оползни, соскальзывавшие с бортов балки, выходили на этиленопровод, кусты ежевики смыкались над тропой так плотно, что опасность атаки какой-нибудь осатаневшей от голода гигантской ядовитой лягушки или, не дай боже, саламандры была весьма велика. На этот раз пронесло.

Великий Ши был сыт, и двигающийся по Железной трубе человек не привлек его внимания. Свернув в кольцо свое гигантское тяжелое тело, грозный ящер был полон послеобеденного блаженства и равнодушия ко всем эти двуногим, четвероногим и шестиногим, в резиновых костюмах и без какой-либо видимой одежды, в стальных птицах и железных лодках, в глубинах гор и в ближнем космосе. Великий Ши при необходимости мог проникнуть в мозг любого из них и заставить делать все, что ящеру пожелалось бы, но зачем? Ши был сыт…

Три часа неторопливого хода – и труба вывела Юрия через прибрежное низкогорье к Новым виноградникам. Местность здесь была совершенно пустынна. На ядовитых щебнистых склонах даже трава не росла. Крысы сюда не заходили – нечего было им здесь делать. Но мутанты в этих местах – частые гости. А вот и свежий след. Шесть пальцев на ноге. Отпечаток стопы четкий и большой. Видно, крупный экземпляр. Надо как-нибудь вернуться сюда и найти берлогу этого чудовища. Шкура такого баксов на пятьсот потянет, если не больше... Скорее всего, они выходят на поверхность из трубы где-то здесь из тщательно замаскированных нор, потому что дальше этиленопровод уходит под Яйлу и до самого Белогорска на поверхности земли не появляется.

Белогорск в описываемые времена был административным центром Крыма, поскольку в развалинах Симферополя после взрыва атомной электростанции и комбината по очистке плутония, случившегося лет пятьдесят назад, можно было безопасно передвигаться только в танках с мощной противорадиационной защитой, да и то не особо мешкая.

В Белогорске, кроме разных неизвестно чем занимающихся административных служб и воинских подразделений национальной гвардии, стояли экологическая экспедиция ООН и Крымский спасательный отряд, в патруле которого служили Костюк и Росинка. И хотя население Крыма в своем большинстве покинуло полуостров давным-давно, спасателям работы хватало. Основной заботой спасателей в Крыму было обслуживание отрядов экологов, научных экспедиций, разведчиков-радиометристов и рабочих управления дезактивации. Кроме того, добавляли забот любители острых ощущений, собирающиеся в буйные ватаги с крутой целью пересечь Крымские горы пешком (хотя бы по меридиану), но мало кому из них это удавалось.

Вот и на днях в предгорьях Чатыр-Дага, недалеко от Ангарского перевала, снесло полиэтиленовой лавиной целую экспедицию японских альпинистов. Большинство отделалось легким испугом, но четверых нашли только через сутки, в трех километрах северней Кутузовки, совершенно раздетыми и с аккуратными дырочками в затылке. В спасательном отряде говорили, что это работа мутантов. Может быть... Только зачем «мутам» японская одежда и обувь, при длине стопы около сорока сантиметров и росте два метра с половиной.

По крутому щебнистому склону Юрка поднялся метров на триста и вышел к источнику – началу ручья Бахлаяр. Вытекающая из-под земли вода была очень похожа на настоящую, но сапоги от нее разваливались через три-четыре дня, а кожа на ногах облазила почти мгновенно. По чудом сохранившимся остаткам тракторной дороги Юрка поднялся к входу в ущелье – Большим воротам, наиболее удобному выходу на плато со стороны Рыбачьего. Еще пятнадцать минут быстрой ходьбы – и Костюк выбрался на край плато. Здесь его ждала неприятная встреча. Пять крупных горных волков вышли на тропу из-за ближайшего гребня и остановились, перекрывая дорогу вглубь плато.

– Выясняют мои возможности, – сообразил Юрка и вскинул автомат.

После первого же выстрела волки исчезли, будто растворились в желтоватом дымчатом мареве, но Юрка ощущал их присутствие где-то здесь, рядом. До темноты они вряд ли сунутся, значит, есть время заняться своими делами.

Поднявшись на ближайший холм, с которого отлично просматривались ближайшие окрестности, Юрка присел на камень, снял противогаз и осторожно вдохнул воздух. Дышать было трудно, но можно, если недолго. Но ведь перекусить как-то надо было.

Вожак стаи лежал в расщелине скалы всего в семи метрах, когда человек снимал противогаз. Это был удобный момент для нападения. Участь человека была предрешена вожаком, когда Костюк проходил Большие Ворота. Но собачья часть крови хищника запрещала нападать на человека днем. Скоро придет ночь – и волчья кровь возьмет свое.

«Человек будет убит, потому что эти горы принадлежат волкам, а щенки голодны. Человек умрет сегодня ночью», – так решил вожак. И это не было местью за брошенных на произвол судьбы предков, которые верно служили людям несколько тысяч лет. Просто в горах не хватало еды.

К пещере Бузулук-Коба Юрка подошел за час до наступления темноты. Спустившись по глыбовому навалу крутого наклонного дна огромного зала, Юрий вышел к обрыву над глубоко протаявшим подземным ледником.

Подсвечивая себе фонарем, Костюк разыскал титановый скальный крюк, забитый в стену кем-то из первобытных спелеологов, закрепил веревку и подергал для проверки надежности. Конечно, это была еще та проверка, но на более серьезный подход к безопасности Юрка не был способен. Падать-то всего метров пятнадцать, и на снег. Накрутив веревку на поясной карабин и включив фонарь, закрепленный на каске, Юрка соскользнул на ледник, отцепился от веревки, спустился в дальний конец зала и по узкой щели между ледником и известняковой скалой протащил свое снаряжение к надежному убежищу, найденному когда-то его отцом. Это был небольшой грот в скале. Лежанка и примитивный столик, сложенные из плит камня, составляли нехитрую меблировку. От пещерного холода грот отделял лист фольгированного полиэтилена, которым был завешен вход. Лежанка была покрыта пенополиуретановым ковриком, а на столике белела парафиновая свеча в самодельном подсвечнике из крупной гильзы и стояла портативная рация в герметичном чехле. Вот, пожалуй, и весь комфорт.

Костюк зажег свечу и занялся рацией.

Росинка отозвалась сразу – видно, ждала его в корабельной радиорубке.

– Ты опять ушел на Караби один? Я с ума сойду из-за твоих фокусов.

– Да что ты, Росиночка! У нас здесь отличная компания.

– Не ври, негодяй! Я по голосу слышу, что ты врешь.

– Фигня все это! Если и вру, так совсем немного. Прости, родная. Какие новости?

– Радировал из отряда Бравин. Похоже, что он догадывается, где ты.

– Это плохо. Уходим из эфира. Разговор не регистрируй. Домой вернусь завтра к вечеру. Целую. Конец связи.

То, что начальник отряда Бравин догадывается, куда ушел Юрий, было действительно плохо. Нехорошо было и то, что Костюк вышел в эфир на связь с баржей. Но может, пронесет. Не из таких неприятностей выкручивались...

Отыскав в щели за лежанкой кирку, Юрка вылез из убежища. Поиски меток на стенах и определение тщательно замаскированного входа в забой заняли еще минут десять. Разбросав в заветном месте щебень и отодвинув большую известняковую плиту, Юрка влез в полукруглую дыру и, где на коленях, а где ползком, пробрался в небольшой грот, вырубленный еще его отцом в теле ледника. Там, в стене, в общей ярко – оранжевой фирновой массе залегал совершенно белый, с вкраплениями прозрачных кристалликов льда, слой чистого снега. Проверив, для очистки совести, забой радиометром и химическим анализатором, Костюк наколол снег глыбами, обернул зеркальной фольгой и теплоизолирующей тканью, вложил в герметичный прорезиненный мешок, сунул сверток в рюкзак и поволок на выход из норы. Упакованный таким образом снег продержится часов двадцать. А больше и не надо. На барже есть холодильник.

Задвинуть плиту на место и привалить ее камнями – дело необходимое, и Юрий проделал это с несвойственной ему тщательностью.

– Все! Можно отдохнуть.

До рассвета оставалось два часа – как раз есть время слегка расслабиться и выпить кружку бульона. Юрка возвратился в убежище, разжег небольшой костерок из пары таблеток сухого топлива, растопил в алюминиевой кружке немного снега, бросил в воду таблетку куриного бульона и вскипятил. Вкусно! Настоящая чистая вода – роскошь, доступная в эти трудные времена только очень богатым людям, а в виде природного ископаемого снега – почти никому.

Вещевой мешок Костюка теперь стоил огромных денег, и если кто-нибудь узнает о Юркиной тайне... Лучше об этом не думать... В таком прискорбном случае Костюк не поставил бы за свою жизнь и использованного фильтра от противогаза.

Время отдыха пролетело мгновенно, и Юрка последний раз осмотрел убежище, чтобы убедиться в отсутствии следов, по которым можно было бы определить хозяина. «Вроде, все в порядке. Можно возвращаться,» – прикинул Костюк и пошел на выход из пещеры.

Пятнадцать метров подъема по веревке, даже с полной выкладкой и после бессонной ночи для спасателя, – не проблема. Перехватывая веревку руками и зажимая ступнями ног, Юрка выбрался из обрыва и уже собирался снять веревку с крюка, как вдруг острое ощущение опасности, пришедшее откуда-то со стороны, заставило его судорожно ухватиться за веревку левой рукой и отвести назад правую... И вовремя!

Огромный волк зловонной тушей обрушился Юрию на грудь – и мощные челюсти сомкнулись у человека на шее. Если бы не титановый воротник бронежилета, то... Левая рука удержала Костюка от падения в колодец вместе с обезумевшим от голода и ожидания животным, а лезвие автоматического ножа, закрепленного на запястье правой руки, вспороло грудную клетку и рассекло сердце волка. Перебросив мертвое тело через себя, Юрий длинной очередью из автомата ударил по серым теням, мечущимся на фоне низкого неба.

Засунув снятую веревку в рюкзак, Костюк вышел из пещеры. Переступая через трупы убитых животных, быстрым, очень быстрым шагом двинулся в сторону Больших ворот. Обратная дорога от Бузулук-Кобы к краю плато заняла всего час, и все это время Юрку не покидала уверенность, что самая неприятная часть его путешествия еще впереди. Когда он вышел к обрывам и посмотрел вниз в сторону моря, то убедился, что предчувствие его опять не обмануло.

За ночь ветер переменился. С запада вдоль моря пришли красно-бурые аммиачные облака и затопили побережье почти полностью. Только узкие гривы водоразделов, ведущие к Приморским вершинам, были свободны, но на их голых склонах Юрку будет видно, как муху на лысине представителя ООН в Крыму (в случае каких-либо неприятностей в этих местах совсем некуда скрыться).

«Делать нечего, придется идти по хребтам», – прикинул Костюк. Если без приключений добраться на вершину прибрежного хребта Янтуру, то там на опорах еще висят тросы канатной дороги. По ним можно спуститься прямо к пристани. Ну а на пляже, конечно, можно использовать весь боезапас – там ему устроят «торжественную встречу» все хвостатые и ядовитые твари побережья.

Юрка снял маску противогаза, протер чистой тряпочкой стекла, смазал их специальным составом (чтобы не потели), одел противогаз, подтянул ремни, взял автомат на изготовку и заскользил по склону, увлекая за собой щебнистые потоки. Усталости он не чувствовал – обостренное чувство опасности подстегивало молодое сильное тело.

Всего час понадобилось парню, чтобы спуститься с яйлы и выбежать на южный склон Янтуру, но все же Юрка не успел избежать неприятностей... Геликоптер с хорошо знакомыми опознавательными знаками спасательной службы настиг его, когда до канатки оставалось метров триста. Бежать сразу стало как-то незачем, и Костюк остановился. Машина, подавая сиреной знак «Не двигаться! Стреляю без предупреждения!», сделала небольшой круг и села между Юркой и эстакадой. Двигатели взревели и затихли. В наступившей тишине мелодично скрипнула турель пулемета.

«Эх, сейчас бы кубарем по склону в туман, - тоскливо прикинул Юрка. – Но там крысы... Нет... лучше уж пулемет».

Привет, спасатель! – прогремел искаженный усилителем голос. – Интересно, откуда ты тащишь свой красивый рюкзак?

«Значит, не просто грабить будут, – огорчился Юрка, – вначале будут пытать».

– Кто это такой любопытный? Выходи! Поболтаем! – показывать страх в таких случаях было нельзя, да Юрка и не очень-то боялся. Вся жизнь его проходила на границе жизни и смерти.

Ствол пулемета красноречиво порыскал поперек склона и уставился лазерным прицелом прямо в живот Костюку.

– Спасибо за приглашение, дружище! Только вначале брось свою тарахтелку крысам, а то разговор может получиться слишком коротким.

Торговаться не стоило – и автомат улетел в туман (невелика потеря в сложившейся ситуации).

– Да ты у нас просто молодец! А теперь нож отстегни с запястья. Уж больно ты с ним ловок.

Юрка с сожалением отстегнул нож и бросил за спину. Ножа было жаль. Без ножа он чувствовал себя, как без штанов. Еще с колледжа.

Дверь геликоптера откинулась, и на щебенку спрыгнул долговязый начальник Белогорского спасательного отряда Саша Бравин в замечательном ярко-красном флуоресцирующем комбинезоне (такую одежку на складе ООН получали только самые достойные).

Значит это он... А кто же еще? Среди спасателей давно ходили слухи, что Бравин не только спасает, но и мародерством балуется. В спасательном отряде не считалось особым грехом снять с покойника хорошие ботинки. Однако некоторые фокусы начальника попахивали бандитизмом. Интересно, кто остался в вертолете? Может, никого и нет? Саша делиться не любит.

Лазерный прицел автомата обозначился красной точкой на груди спасателя. Бравин отошел от геликоптера и остановился перед Юркой метрах в пяти:

– Сними рюкзак, мужик! Не хотелось бы портить твой груз.

Бравин презирал этого понурого безоружного гиганта, стоящего перед ним с мешком чистого снега. Он презирал Костюка всегда, как и всех, с кем имел дело. Бравин был немолод и удачлив, его опыт с годами превратился в довольно опасную хитрость. Он ни на минуту не сомневался, что сможет вытянуть из своего подчиненного необходимую информацию, прежде чем пристрелит юнца.

Юрий сбросил рюкзак и поставил перед собой. Без тяжелого рюкзака за плечами парень чувствовал себя несколько свободней. Еще бы немного времени на то, чтобы собрать силы к последнему прыжку. И тут Костюк заканючил, растягивая слова:

– Может, отпустишь, нача-а-альних? Рюкзак твой. Там чистый снег. Его тебе хватит надо-о-о-лго. А мне бы сейчас вниз. Меня Роси-и-инка ждет. Ты же знаешь, в каком она состоянии.

Звериным чутьем опытного преступника Бравин почувствовал опасность и отступил на шаг. Автомат наверняка был заряжен бронебойными патронами. Юркин французский титановый бронежилет, выменянный в прошлом году у заезжего мафиози на шкуру мутанта, не спас бы парня, а в умении Бравина стрелять метко и не долго раздумывая Костюк не сомневался. Дело становилось безнадежным.

Уверенный в своей правоте Бравин начал первый тур пыток:

– Умный ты парень, Юра, а дурак. Как же я отпущу тебя, пока не узнаю, где твоя нора? Ведь мне твоего рюкзака мало, Юрочка. Мне нужен забой. О нем давно легенды ходят. И вот мне повезло. Ты вздумал поболтать в эфире с Росинкой, а я благодаря этому нашел возможность говорить с тобой в столь неофициальной обстановке. Это крайне удачно, что ты имеешь Росинку. Ты понял меня, парень? Да не потей ты так! Если покажешь, откуда носишь снег, с ней ничего не случится. Ну а если будешь хорошо себя вести по дороге на Яйлу, я, может быть, возьму тебя в компаньоны...

– Да бог с ним с компаньонством, начальник. Мне ничего не надо. Ты только Росинку не трогай. Она не знает, где нора. Святым духом клянусь – не знает. А я покажу забой. Там есть еще немного снега. Вот только рюкзак освобожу. Идти километров двадцать, а я устал.

Юрка дрожащими руками распустил узел на рюкзаке, вскрыл резиновый мешок и стал выкладывать белые глыбы на дымящуюся аммиаком радиоактивную землю.

Увидев столь варварское обращение с драгоценным деликатесом, Брагин взревел:

– Парень, стой! Ты что, спятил со страха? Здесь же тысяч на двести! – и бросился к рюкзаку, прикрывая снег шикарными американскими перчатками.

Тяжелый удар в челюсть свалил его на землю. Потом еще один удар кованым сапогом под обрез каски… в висок…

– Вот и все, начальник, лучше бы ты ничего не обещал, – укорил покойного Юрка, – может быть, и рука не поднялась бы…

Костюк загерметизировал остатки снега, взвалил на плечи тяжелое тело своего начальника и потащил в геликоптер. В кабине, конечно же, никого не было. Оба автоответчика выключены, зато противорадарная защита работает на полную мощность. Наверняка, никто не знает, куда улетел начальник спасательного отряда. Не любил покойничек делиться…

Заложив две толовые шашки под топливные баки и обрезав бикфордовы шнуры покороче, Юрка вернулся к тому месту, где еще пятнадцать минут назад решался вопрос, кто останется жить. Глухой спаренный взрыв разорвал баки, поджег горючее и геликоптер запылал огромным дымным костром.

Юрка подобрал Бравинский автомат, забросил за плечо полупустой рюкзак, широкой дугой обогнул коптящие обломки геликоптера и быстрым шагом, переходящим в бег, направился к эстакаде подъемника. Времени оставалось в обрез. Уже темнело.

Спуск по тросу подвесной дороги в конце такого путешествия не подарок. Разыскав в камнях припрятанные блок и тормоз, Юрка пристегнул их карабином к несущим кольцам комбинезона и заскользил вниз, сопровождаемый пронзительным свистом и снопом искр.

Полет вдоль изрезанных селями склонов, сквозь бурую ядовитую толщу облаков более эмоционального человека мог бы и травмировать, но Юрка только в очередной раз пообещал себе больше на канатке не ездить и даже позволил себе слегка погрустить. Ему очень было жаль ножа. Жалко было и выброшенного снега. Почему-то было жаль себя. А больше всего ему было жаль Росинку... Он не мог объяснить себе, отчего ему так стало мерзко на душе. У них есть работа, они здоровы, а впереди лет пятнадцать жизни. Если повезет. Наверное, это усталость.

Когда Костюк почти в полной темноте спустился на побережье и выбежал к причалу, отстреливаясь от крыс из Бравинского автомата, Росинка опустила мост и прикрыла его по-женски аккуратным и метким огнем.

Дегазацию на этот раз проводили особенно долго и тщательно. Потом, конечно, были упреки, слезы и молитвы о прощении. Скандал не первый, не последний и не самый шумный. Потому что завтра у Росинки день рождения и у них на столе будет мороженное. Как каждый год.

Давай, мой друг, поднимем рюмки,
Сегодня нам, как встарь, дано
Смотреть на мир кристально хрупкий
Сквозь драгоценное вино.

(Надпись карандашом на кожухе радиостанции, автор неизвестен)

2. ПЕРВАЯ ПОЛОВИНА НОЧИ

Рассказ второй

(Награда за убийство. Заморские подарки. Зима. Сын родился. Проблемы с пришельцами)

– Спасательный пост на Форосе накрыт обвалом, погибли все. Трупы найти не удалось. Возможно, уничтожены крысами.

– Ялтинский пост разрушен селем. Личный состав эвакуирован. Жертв нет.

– В защитном куполе Алуштинского поста возникли микротрещины. Личный состав отравился фенолом и в тяжелом состоянии эвакуирован в Белогорск.

– Судакский пост. Вспышка черной оспы. Начальник поста объявил карантин и через три дня сжег себя напалмовой бомбой вместе с личным составом. Посмертно награжден орденом Спаситель Планеты.

– Пост в Канакской балке атакован крысами. Инспектором хозяйственного управления зарегистрирован перерасход боезапаса. Начальнику поста старшему спасателю Костюку Ю.С. объявлен выговор без занесения в личное дело.

(Из сводки пресс-центра Крымского чрезвычайного экологического комитета ООН)

Начальник Белогорского поста имел где-то в верхах очень влиятельного родственника, и поэтому Бравина искали всем наличным составом спасательной службы Крыма две недели. Когда бесцельное шатание по горам надоело спасателям до тошноты, Юрий «нашел» обломки вертолета там, где сам его сжег.

Все, что осталось от мужественного начальника отряда, собрали в серебряную колбу и захоронили в Филадельфии на кладбище Героев Земли под звуки гимна ООН и тридцать три залпа из пехотного оружия, а Костюк получил за проявленную находчивость внеочередной десятидневный отпуск и первую в жизни благодарность от начальства...

Что делать с отпуском, было совсем непонятно, поскольку накопить что-либо значительное из нищенской зарплаты спасателя было практически невозможно, а ехать без денег – некуда. Да и сменить Юрку было некем. Кроме того, в это время, как обычно с большим опозданием, прибыл турецкий мотобот, который каждую осень развозил припасы немногочисленным спасательным постам Черноморского побережья Крыма. Забот стало сразу чрезмерно много, и Костюк с удовольствием отложил размышления об отпуске на некоторое неопределенное время.

Мотобот пришвартовался по правому борту, и на баржу выбрался коренастый, неряшливо одетый капитан Юсуф. Когда вежливо встреченный на трапе капитан добрался до кают-компании, где его ждало нехитрое угощение, и снял противогаз, миру явилась несколько дней небритая, сивая, шелушащаяся физиономия.

Пошморгивая носом и кося слезящимся глазом на графин, капитан сиплым проникновенным голосом сообщил Костюку:

– Я тут уже почти две недели. На всем побережье только твой пост еще держится. Бери, парень, весь груз. Из-за одного поста вряд ли кто будет гонять бот через море, а уж до весны оказий не будет совершенно точно. И пусть черноморские катраны обгрызут мне усы, если я лично на все это не клал.

В этом месте своего монолога бравый, много повидавший на своем веку капитан перешел с ломаного английского на не менее ломаный, но очень образный трехэтажный русский, которым еще семь с половиной минут объяснял Юрке, почему больше не хочет связываться с такой «дохлой» фирмой, как ООН. Мы его выражений цитировать не будем.

Предложение Юсуфа было противозаконным, и все же капитана можно было понять – ему до смерти надоело шататься вдоль очень опасных для плаванья берегов, когда горючее на исходе, а команда уже готова выбросить за борт как груз, так и самого капитана.

Юрка размышлял недолго. Законность операций с разгрузкой бота его не волновала. Тем более что снабжение поста становилось все хуже и хуже, а тут появлялась возможность прилично запастись оружием и продуктами. Поэтому, посомневавшись для виду минут пять, Юрка согласился взять ответственность за груз на себя.

Приняв по сто грамм коньячного спирта Юрий и капитан бегло просмотрели документы и вернулись на палубу, чтобы начать разгрузку.

С трудом запустив кормовую лебедку, Юрка с Росинкой начали перетаскивать контейнеры с палубы мотобота на баржу. Капитан Юсуф и его матросы с интересом следили за их стараниями из рубки бота, хотя были обязаны помогать. Прикинув объем работы, Костюк понял, что им вдвоем до темноты с разгрузкой не справиться и притащил из трюма пятилитровую канистру, в которой булькало то, чего от него и ожидали бравые моряки. Костюку еще в прошлом году удалось солидно запастись коньячным спиртом во время проведения спасательных работ в завалах хранилищ Массандровского винзавода.

Увидев канистру и попробовав ее содержимое, моряки шумно и охотно включились в работу. Экипаж бота запустил свою носовую лебедку и под гортанные крики за неполные два часа очень профессионально перегрузил все необходимое с одного судна в трюм другого.

После окончания работ Костюк и капитан спустились в кают-компанию баржи, чтобы покончить с формальностями. Накладные Юрка подписал, не вчитываясь, чем капитан был несказанно доволен. Потом перешли за обеденный стол, где их ждал слегка разведенный клюквенным соком спирт, консервированное сало, вспоротые армейским ножом банки с тушенкой, колбасным фаршем и солеными оливками, а также омлет с грибами, приготовленный Росинкой из яичного порошка и шампиньонов. Первые сто грамм выпили вместе. Потом капитан пил сам, громко чавкая и отрыгивая, неопрятно закусывая и безмерно хвастаясь своими доходами. После пятой рюмки турок, еле сдерживая обильные добрые слезы, полез целоваться:

– Послушай старого Юсуфа, парень. Нечего тебе и твоей женщине здесь делать. Ты уважил меня, и я хочу помочь тебе. Забирай жену и грузись на мой бот. В Анатолии у меня есть дом, в котором всем места хватит.

Юрка не возражал – не имело смысла. Из опыта подобных договоров, можно быть уверенным, что проспавшись, капитан забудет о своих обещаниях и начнет в лучшем случае мелко торговаться, а скорее всего ограбит до нитки.

Конечно, Росинку не мешало бы куда-нибудь отправить, но уговорить ее не удастся – это Костюк знал наверняка. Уехать вместе, заплатив турку кое-какими припрятанными драгоценностями (случалось подбирать на местах происшествий), можно было бы... Но оставить пост без смены? Нет. Ребята ему этого не простят. Да и кому нужен в Анатолии спасатель широкого профиля без знания турецкого языка и с очень плохим английским? Там своих нищих хватает...

Из-за стола лихого турецкого капитана с трудом вывели его матросы, недовольные задержкой. Юсуф пьяно рыдал, лез к матросам драться, пытался удержаться за столом, хватаясь за привинченные к полу стулья, потом обвис на руках и отключился.

С трудом затащив капитана в рубку бота, матросы пристроили его около штурвала, где тот сразу пришел в себя и начал командовать. В недрах кораблика заурчал движок, команда засуетилась на палубе, выбирая швартовые концы, мотобот лихо развернулся и, попрощавшись замысловатой сиреной, ушел в ночное море, разукрашенный огнями, как рождественская елка.

Отдохнув остаток ночи, Костюк и Росинка принялись сортировать груз, в котором оказалось много полезных вещей. Особо порадовала Юрку портативная атомная электростанция, которую он столь долго и безнадежно выпрашивал у начальства. В этот раз она тоже предназначалась не ему, но забрать что-либо, попавшее в руки Костюка, было гораздо сложней, чем не дать. Очень вовремя и к месту оказалась на барже эта «атомная железка». Дизеля баржи давно уже дышали на ладан, аккумуляторы тоже выработали свой ресурс, а без электроэнергии пост был обречен на скорую и бесславную гибель. Теперь энергии хватит на долго – на весь остаток жизни экипажа, а потом еще на десяток таких же жизней.

Большая гидропонная установка, обнаруженная в одном из самых больших контейнеров, на барже была ни к чему. Во-первых, ее негде было разместить, а во-вторых, им и малой хватало. Другой бы спустил ненужное барахло за борт, но практичный Костюк перетащил контейнер на бак и принайтовал попрочней – может когда-нибудь в хозяйстве пригодится.

Контейнер с боеприпасами Юрка вскрывал с некоторым волнением. Прошлый раз вместо оружия прислали двадцать раскладных детских колясок с запасными колесами. Против ожидания в контейнере нашлось десяток гранатометов, три мощных огнемета, пять пулеметов легких и два тяжелых – зенитных. Всю эту роскошь дополнял солидный боезапас, лазерные прицелы, тепловизоры и многое другое, часто совершенно непонятное, но явно смертоносного назначения.

Увидев это изобилие, Росинка заканючила:

– Юрочка, родимый, дай стрельнуть разочек!

Костюку и самому хотелось, что-нибудь попробовать, тем более что арсенал баржи столь значительно пополнился, что экономить боезапас не имело особого смысла. Поэтому он, проверив один из гранатометов, зарядил его и протянул Росинке:

– Видишь вон ту бетонную стену? Постарайся попасть. И помни мою доброту.

Росинка попала. Потом и Юрка не промахнулся. Разохотившись, супруги перемололи гранатами остатки санатория «Маяк» в пыль, пока Юрка не очнулся от боевого угара и не отобрал у азартной женщины столь полюбившееся ей оружие:

- Жене положено быть нежной, заботливой и ласковой, а оружие ей вовсе не к лицу.

– Тебя бы, умник, давно уже крысы съели, если бы я была только нежной и ласковой, – огрызнулась Росинка, со вздохом расставаясь с опасной игрушкой.

Пересчитав и оценив роскошную, по их мнению, добычу, Костюк и Росинка разместили оружие и боеприпасы на барже таким образом, чтобы имущество, предназначенное для хранения, было в безопасности от сырости, а определенное для использования – под рукой.

Юрка, отличающийся отменным здоровьем, к медицине был совершенно равнодушен, но Росинка, обнаружив полевой томограф, очень приличный французский аптечный автомат и набор хирургических инструментов, была рада находке безмерно. Бросив все дела, она зарылась в прилагаемые ко всему этому описания, чем очень порадовала Юрку, поскольку достала его Росинка несказанно своими советами по поводу методов перетаскивания, размещения и хранения доставленного турками барахла.

Оставив Росинку в медицинском отсеке с ее добычей, Юрка осторожно прикрыл дверь, облегченно вздохнул и продолжил свои занятия, записывая в инвентарную книгу каждую мелочь неаккуратным, но разборчивым почерком. Костюку необходима была уверенность в том, что, если что-то с ним случится, Росинка при помощи его записей сможет свободно ориентироваться в хранящихся на складах запасах.

Разбираясь с грузом, Юрка обнаружил несколько лишних контейнеров с продуктами, которые порадовали его разнообразием консервов и круп. Маловато оказалось сахара, но зато подсолнечной халвы и леденцов хватило бы на годовое довольствие целого батальона спасателей.

«Когда кончится спирт, можно гнать самогон из леденцов, – рассудил про себя Костюк, – а если что-то получится и из халвы, то дефицит водки экипажу баржи не грозит». Сам Юрка спиртного практически не употреблял (разве только по случаю), но в расчетах между крымчаками самогон шел как полноценная валюта.

Ничего не мог придумать Юрка по поводу полезности огромной академической коллекции семян из Никитского ботанического сада. Капитан бота украл контейнер с пирса Ялтинского порта в надежде, что в этом ящике, из нержавеющей стали, упрятано что-то очень ценное, но разобравшись в спецификации, спихнул груз Костюку. Поскольку ничего приличного спасателю в голову не пришло, а долго думать было лень, то Юрка запихнул контейнер с семенами в самый дальний угол кормового трюма и забыл о нем навсегда.

Осень принесла затишье в дела спасателей. За сентябрь и октябрь было только шесть выходов в горы, причем два из них ложные, поэтому Костюк имел достаточно времени, чтобы переделать систему энергоснабжения баржи и укрепить корпус.

Отступившая угроза голода, некоторый достаток и комфорт, пришедший на баржу в результате визита турецкого бота, постоянное присутствие где-то совсем рядом родного человека смягчили характер Росинки. Она полюбила вечерами пристроиться в радиорубке с каким-нибудь шитьем или штопкой за спиной у Юрки и следить, как указатель частот не торопясь бродит по кругу. В эмалированных кружках дымится крепкий чай, в динамиках посвистывает музыка звезд, а неспешные разговоры о сегодняшних домашних делах и завтрашних неспешных заботах лечат истерзанную душу женщины лучше всяких снадобий.

Эти месяцы навсегда запомнились Росинке самыми счастливыми и наполненными покоем, который был ей ранее неведом, а теперь просто необходим, потому что под сердцем у этой маленькой женщины крепла новая жизнь.

Вместе с зимой пришли шторма, и жизнь превратилась в непрестанный бой. Бушующая стихия разрушила часть надстроек баржи и покалечила пристань. Иногда казалось, что вот-вот под напором чудовищных волн лопнут якорные цепи и баржу, как щепку, выбросит на черный, смертельно опасный берег. Но пронесло. Выдюжили.

Ближе к весне, когда штормовые ветры, перемолов о скальные берега принесенные с запада пенопластовые поля, улеглись, а обычно круглое лицо Юрия вытянулось и почернело от усталости, на барже случилось давно ожидаемое и все же чудесное. Росинка родила мальчика. Роды были тяжелыми, ослабленная зимой Росинка долго приходила в себя, но огромная жизненная сила, неизвестно где теплящаяся в ее хрупком теле, выручила. А когда апрель разукрасил прибрежные заросли в яркие праздничные цвета, она сама смогла вынести мальчика на палубу баржи и показать восходящее солнце. Парень долго смотрел на столь редкое в этих краях светило сквозь светофильтры самодельного противогаза и вдруг так сильно потянулся к небу, что Росинке на мгновенье показалось, что он сейчас взлетит. Женщина крепко прижала плотное тельце сына к груди. Ей вдруг стало до слез радостно от ощущения необыкновенной чистой силы и здоровья сына, а потом нестерпимо страшно за его судьбу в этом кошмарном мире, где ничего уже нельзя изменить к лучшему.

Парень удался крупный, но не шумный. Назвали его в честь деда – Сергеем, но звали чаще просто Серый.

Если к силе, здоровью и быстрому росту сына Росинка и Юрий привыкли быстро, то вскоре пришлось привыкать к его редкой находчивости. На барже самым загадочным образом стал пропадать инструмент. Но как-то во время генеральной уборки Росинка нашла под трапом целый набор неплохо подобранных гаечных ключей, отверток, различных напильников, два молотка и электродрель с комплектом сверл.

Инструментарий сына родители громить не стали, а выделили мальчику отдельный верстак в мастерской, где Серый и проводил большую часть времени.

Присматриваясь к сыну, Юрка как-то заявил жене:

– Похоже, что парень научится хорошо паять раньше, чем говорить.

Так оно и получилось. Заговорил парень только на третьем году, да и то не очень охотно.

Попытка увлечь ребенка стрельбой Юрию не удалась. Мальчишка одной очередью расстрелял десять бутылок, выстроенных на корме (причем на каждую пришлась только одна пуля) и заявил, что эта игрушка очень медленная. Вернул автомат изумленному папе и вернулся к испытаниям самолета с вертикальным взлетом и посадкой... Нелепая на вид конструкция в конце концов полетела, но на борт никого взять не могла ввиду малой мощности двигателей – и Серый стал крутиться около реактора энергоустановки... Тут Костюк-старший всполошился не на шутку, поскольку реактор ему самому был нужен. Без электростанции все энергетическое хозяйство баржи приводилось к полной разрухе.

Короткого, но строгого внушения хватило – и Серый переключил свое внимание на совершенствование программы для кухонного компьютера, чтобы тот мог не только блинчики печь, но и сказки сочинять. Юрия такое положение вполне устраивало. Сам он предпочитал готовить без компьютера. А Росинка? Росинка вытерпит. И не такое терпела. Главное, что бы ребенок не лез в энергетические сети.

Летом отлучки Юрия обычно становились частыми, его неделями не бывало дома и оставалось только гадать, смазывая йодом огромные синяки на теле и штопая комбинезон, в каких переделках он побывал. Большая часть его выходов в горы была связана с исполнением обязанностей спасателя, но иногда ночью к барже причаливала скоростная моторная лодка, и на палубе баржи появлялись горластые вооруженные до зубов охотники на мутантов. Юрка о чем-то быстро договаривался с ними и исчезал дней на пять.

Охота на мутантов была не только запрещена, но и очень опасна. Далеко не все возвращались с трофеями, а кое-кто не возвращался совсем. Иногда в недрах Большой Трубы происходили целые сражения, и количество погибших охотников из года в год увеличивалось. Юрке пока везло.

Росинке очень не нравилось это занятие Юрки, но охотники за мутантами расплачивались свежими фруктами и поливитаминами... Где только они их брали? Видно, на Земле еще не перевелись богатые люди.

Следующие шесть лет жизни наших героев прошли в трудах и заботах столь обычных, что в силу их банальности тратить время на их подробное описание мы не будем. Но на седьмой год наконец совершилось нечто, достойное нашего пера.

Однажды утром выйдя на палубу, Костюк увидел оранжевые диски, парящие над пляжем на высоте двадцати-тридцати метров.

Попытка рассмотреть диски в мощный бинокль и оценить их размеры ни к чему не привела. Ближе к краю эти образования были полупрозрачными, а по поверхности проплывали червонным туманом какие-то полосы. Кроме того, эти образования даже сосчитать было трудно – то их было три, то пять, а иногда восемь.

Часа через полтора, когда Юрию надоело наблюдать и он решил было вернуться внутрь баржи, чтобы позавтракать, диски вдруг устремились один к другому, соединились в тороид и из него посыпалось сотни полторы гуманоидов в ярких разноцветных комбинезонах.

«Где они там поместились? Как летают при полном отсутствии на них каких-либо видимых летательных средств? И главное, как обходятся на побережье без противогазов?» – эти, да и множество других вопросов так и остались для Костюка тайной, поскольку в контакт с ним пришельцы входить не пожелали. Некогда им было, что ли?

Часть пришельцев рассыпалась по окрестным горам и вскоре вернулась, перегруженная образцами горных пород, флоры и фауны, пробами воздуха и воды. Двое каких-то шалопаев вытащили на побережье упирающуюся всеми шестью лапами гигантскую ядовитую лягушку, стали спорить о ее видовой принадлежности и способах размножения. Спор быстро перешел в драку (впрочем, шутливую), и лягушка, воспользовавшись этим, огромными прыжками рванула в горы. Парни бросили возиться в песке и пустились в погоню. Юрка к ядовитым лягушкам симпатии не питал, но эту ему почему-то стало жаль.

Несколько технарей, весело перекрикиваясь, расставляли на окрестных возвышенностях какие-то измеряющие приборы. Десяток более-менее серьезных пришельцев при помощи небольших, но очень мощных устройств отгоняли ядовитые бурые облака в море. Но большинство просто болтались по побережью без дела и фотографировались на фоне шлюзовой камеры Большой Трубы и баржи. Кроме того, все охотились за сувенирами. Тут Костюку приходилось быть очень бдительным – тянули все подряд.

Обитателей баржи пришельцы явно не считали равными себе: Костюка они безразлично обходили стороной, к Росинке на камбуз зачастили, было, какие-то представительницы прекрасного пола, но и это продолжалось недолго; зато младший из Костюков почему-то вызывал у пришельцев уважение и даже страх. Серый же не обращал на незваных гостей никакого внимания, поскольку был занят дрессировкой помеси пылесоса и компьютера. Деятельность пришельцев обитателям баржи в конце концов надоела и перешла в разряд заурядных. Однако иногда происходили события чрезвычайно любопытные. Однажды после обеда Росинка подозвала к перископу Костюка и тот увидел очень забавную сценку. По остаткам набережной, о чем-то беседуя, степенно прохаживались седой высокий господин в радужном комбинезоне и огромная облезлая старая крыса. Продолжалась эта беседа с час, окончилась встреча уважительным руколапопожатием и обменом какими-то бумагами, после чего пришелец воспарил в направлении тороида, а абориген улегся в ожидающий его паланкин. Шесть рабочих черных крыс бережно подняли паланкин на плечи и не торопясь, очень осторожно понесли своего господина по тропе, ведущей к штольням.

– И как это они не наступают друг другу на хвосты, – попытался сострить Костюк, но получилось у него это неудачно, потому что веселого в увиденном было мало.

Пришельцы баловали своим вниманием окрестности Канакской балки месяца три, а потом пропали также неожиданно, как и появились. Напоследок они обидели Юрку тем, что забыли на корме его баржи свой приборчик. Разгильдяи! Установил эту красную коробочку нахальный долговязый техник как-то среди бела дня, но Костюк делал вид, что не замечает прибора, пока однажды пришельцы не собрали свои вещички и не растворились в воздухе. Только вот приборчик оставили.

Поскольку хозяева исчезли не попрощавшись, то Юрий решил, что имеет право на забытое и попытался снять прибор с кормы, для того чтобы разобраться в его конструкции и узнать что-либо полезное. Прибор его к себе не подпустил, а при попытке Костюка прорваться силой, так щёлкнул любопытного, что тот во всей амуниции со страшным грохотом и воплями пролетел по палубе через всю баржу и с шумом обрушился за борт, сломав своей многострадальной задницей остатки перил. С трудом забравшись на баржу по веревочной лестнице, спущенной ему случившейся рядом Росинкой, Юрка последними словами охарактеризовал пришельцев и побежал переодеваться.

Мы уделили столь много времени пришельцам, потому что сообщения Юрки о них воспринимались руководством спасотряда несерьезно: «Шутит спасатель со скуки». Необходимо сказать, что некоторое легкомыслие за Юркой замечалось и ранее, поэтому проверять его рапорт не спешили, а когда все-таки собрались, пришельцев уже след простыл. Прибывшие на трех вертолетах ученые, сопровождаемые усиленной охраной, уныло побродили по пляжу, ничего для себя интересного не обнаружили, а попытка Юрки завлечь проверяющих на баржу, чтобы продемонстрировать забытый прибор, ни к чему не привела. Высокая комиссия отбыла восвояси в крайнем раздражении и порекомендовала администрации спасательной службы уволить негодяя и предать суду. В другое время и в другом месте так бы оно и случилось, но поскольку желающих занять место Костюка не нашлось, то ограничились выговором в приказе по отряду. Выговор Костюку передали по рации, он его аккуратно подшил в толстый скоросшиватель к полусотне таких же и ушел в сторону Рыбачьего искать какого-то голландца, который решил пересечь Крым на воздушном шаре, но исчез из эфира часа через два после взлета.

Это был последний поиск спасателя Юрия Костюка, потому что, когда он вернулся с гор вместе с потрепанным в приключениях, но живым и счастливым голландцем, развитие событий на нашей многострадальной планете вошли в новую фазу. Так кончились десять самых счастливых лет в жизни героя нашего повествования.

Грустить над пулей –
Тропа в лабиринт
С выходом в никуда…
(Вырезано ножом на прикладе
автомата Юрия Костюка)

3. ВТОРАЯ ПОЛОВИНА НОЧИ

Рассказ третий

(Крымский мор. Желающие могут застрелиться. Юрка уходит. Рождение сестры. Искать себя. Подводная лодка. Что ты сделал с ними, Сергей?)

Чума возникла на южном берегу Крыма в крысиных штольнях в самом разгаре жаркого лета. Юрка часами не отходил от перископа, и ему было впервые в жизни страшно видеть смерть. Из всех нор, пещер и штолен побережья выползали бесчисленные полчища черных, бурых, белых от старости крыс, покрытых гноящимися язвами. Раньше крысы появлялись только небольшими группами и преимущественно ночью. Теперь же они, позабыв о безопасности, метались по пляжу и склонам круглые сутки, вытаскивая из щелей своих мертвых сородичей и складывая в кучи. Потом появились специальные команды особо крупных крыс, одетых в изолирующие комбинезоны, обливали мертвых горючей смесью и поджигали. Смрад горелого мяса и черная копоть заволокли побережье.

Какие-то более-менее организованные действия можно было наблюдать дня три. На четвертый день началась паника – и стаи крыс, прихватив детенышей, ринулись на север, через горы, в напрасной надежде опередить смерть. Если бы на обрывах яйл, гребнях хребтов и перевалах выставить навстречу этой смертоносной лавине пару тысяч солдат с огнеметами, то может быть все обошлось. Юрка не отходил от рации, убеждая свое начальство в чрезвычайной опасности происходящего и в необходимости напалмовой бомбардировки побережья. Но кто же будет слушать смотрителя маленького поста, имеющего к тому же репутацию шутника. И хотя события требовали молниеносных решений, начались проверки, согласования, консультации. Впрочем, проверять и согласовывать скоро стало нечего. Только одна тысячная часть крыс сумела перевалить Крымские горы, но этого оказалось достаточно для того, чтобы заразить чумой итальянскую мусородеструкционную бригаду в Криничном, потом болезнь перекинулась в Белогорск. Единственным правильным решением в такой ситуации было создание карантина и изоляция всего населения Белогорского района.

Поскольку «гении» из управления Санитарно-эпидемиологической службы по соображениям секретности не захотели привлекать армию, то охрану карантина решено было поручить спасателям. Желающих взять на себя работу по организации караульной службы среди любимчиков начальства не нашлось, поэтому за Юрием Сергеевичем Костюком прислали вертолет и возложили эту задачу на него. Да и кто бы другой мог справиться с этими отборными разгильдяями, собранными со всего континента.

Выписка из книги приказов по батальону охраны Белогородского карантина:

«Караульному бойцу, обнаружившему у себя признаки болезни «Д», вызвать смену и сдать пост. Одежду, обувь, оружие и боеприпасы бросить в хлорную яму и перейти в карантин (блок Б). Желающие могут застрелиться. Старшине приказываю: убывающим из жизни добровольно выдавать 200 граммов спирта и банку тушенки из фонда начальника караульной службы.

Командир батальона охраны Юрий Костюк»

Карантин длился всего неделю.

Бетонные ступеньки бункера, заплеванные караульными спасателями, усыпанные окурками и автоматными гильзами, не место для вечернего кайфа, но у Юры не было сил встать и уйти.

Три ряда колючей проволоки, разорванной, как минимум, в двух местах, протягивались от его бункера на восток и запад. На колючке дымились обгоревшие трупы. Вдали вяло горели еще два бункера. Таких бетонных ублюдков успели собрать из готовых блоков штук двенадцать. Никому это не помогло. В живых из охраны карантина остался только Юрка, да еще с десяток спасателей, которые только что ушли, коротко попрощавшись и не глядя друг другу в глаза... Зря они так... Свой долг ребята выполнили и теперь имели полное право позаботиться о себе.

Бунт начался в блоке Ж, где содержались африканские подсобные рабочие. Через час беспорядки перекинулись в блок Д (португальский отряд пылеподавления) и в блок А (американские добровольцы из Армии спасения). Еще через два часа к бунтовавшим присоединились все остальные «охраняемые».

Охваченные ужасом смерти, ни во что не верящие люди, вооруженные обломками нар, цепь за цепью шли на пулеметы. Большинство погибло, но человек двести прорвались, захватили автопарк и склад оружия. Костюк перебросил последний резерв к автопарку, но ребята погибли все до одного, так и не сумев отбить грузовики. С этой минуты эпидемия чумы выходила из-под контроля окончательно: те, кому повезло, набились в КАМАЗы и вывели их на Джанкойскую дорогу, на ходу отстреливаясь от своих же товарищей, которым мест в машинах не хватило.

Если они доберутся до транспортных самолетов – беда! Но это уже не его, Юркины, заботы. Ему хватит теперь и своих проблем. Костюк с тоской посмотрел на свои руки, покрытые мелкой красной сыпью. Болела голова. Набухли лимфатические узлы, начинался жар. Симптомы как у всех, значит, в его распоряжении не более трех дней. Потом отек легких, потеря сознания и «со святыми упокой душу грешного раба твоего, спасателя четвертого разряда Юрки Костюка», потому что лекарств от этой болячки, которую только условно можно было назвать «трехдневной чумой», умники в белых халатах так пока и не выдумали.

Юрка тяжело встал, последний раз осмотрелся по сторонам... Никого из живых нет... Забросил за спину вещевой мешок с сухим пайком, автомат повесил на шею, сумку с рацией на плечо, и, не торопясь, экономя силы для долгого пути, пошел на юг по хорошо знакомой тропе через горы к морю. У Костюка была еще одна неоконченная работа, которую никто за него не сделает.

Огромное сильное тело спасателя боролось со смертью изо всех сил. Павел шел, то считая каждый метр, перебарывая боль и подступающее бессилие, то вдруг обнаруживал себя далеко впереди по намеченному маршруту. Ощущение реальности то уплывало куда-то в дымку бреда, то вдруг наваливалось чудовищным прессом безысходности и предсмертной тоски.

Особенно трудно Костюку дался переход по яйле, потому что перевал на Приветное был закрыт. Морские пехотинцы позавчера его заминировали. Интересно – от кого? Живых крыс в Крыму уже не было, а живых людей скоро не будет.

Спустился Юрка с яйлы на Янтуру в полубреду, но около развалин подъемника ему вдруг стало гораздо лучше. Дело было к вечеру, видимость была хорошей, и Костюк с удовлетворением отметил, что атмосфера на побережье за последние год-два значительно очистилась. Если бы лет десять жизни бог послал, можно было бы временами снимать противогаз.

Рация у Костюка была, и он мог бы выйти на связь еще с яйлы, но Юрке очень хотелось последний раз увидеть море и маленькую ржавую запятую у полуразрушенного пирса. Вон она, родная! Кроме того, умирать на яйле было холодно, а здесь вроде ничего. Камни за день прогрелись, и уютное место для последнего бивуака отыскать было несложно.

Юрка удовлетворенно хмыкнул и осторожно пристроил похудевшее седалище и истерзанную язвами спину в бетонных глыбах. Замотанными в грязные, пропитанные гноем бинты руками и при помощи зубов развязал вещевой мешок и удивился, почему не сообразил просто разрезать ножом. Потом вспомнил, что потерял нож, когда катился по крутому щебнистому склону у подножья Больших ворот. Вытащил флягу, отвинтил пробку и хлебнул пару глотков настойки элеутерококка. Росинка в дорогу дала, а он сберег. Не думал, что для такого случая. Где же рация? Юрка пару минут рылся в мешке, разыскивая желтый металлический бокс, пока не вспомнил, что он в сумке. Раскрыл сумку, вынул рацию, включил и настроил на частоту баржи.

Болело горло, гулко, с перебоями билось сердце, тошнило. Костюк собрался с силами, облизнул пересохшие потрескавшиеся губы и вызвал баржу открытым текстом. Росинка отозвалась сразу. Видно, ждала.

– Привет, мать. Как дела на нашем дредноуте?

– Павел, родной, ты где? Как здорово, что ты, наконец, нашелся. Я тут без тебя с ума сойду.

– Я тоже рад тебя слышать. Что там в эфире? Изложи кратко.

– Позавчера передавали про восстание в Белогорске, но очень как-то невнятно. Потом бросили эту тему, потому что в Америке, Италии, Замбии и еще в десятке мест появилась какая-то трехдневная чума. Что-то совсем новое. Ничто ее не берет. И распространяется очень быстро.

– Значит, добрались до Джанкоя, ребята. Молодцы какие. И самолеты сумели поднять.

– Ты о чем, Юрочка?

- Похоже, мать, что наша малая отчизна подкинула человечеству такой кусок дерьма, который ему уже не прожевать.

– Ну, что за шутки, Юрий? Ты можешь быть хоть когда-нибудь серьезным?

– Могу, но не хочу. Не имеет смысла. Слушай, мать, сюда внимательно, а лучше всего подключи магнитофон, поскольку дальше тебе придется кувыркаться без меня.

– Юрий! Что с тобой?

– Ничего особо выдающегося. Мне тут удалось подхватить прелестнейшую болячку, сегодня как раз кончается третий день, и я решил его провести в живописном месте с видом на море и нашу ржавую калошу.

– Костюк! Включай пеленг. Я иду к тебе.

– А вот этого, девочка, не стоит делать. Кто тогда присмотрит за Серым? Кроме того, скоро у тебя появится еще один мой потомок. Так что с этой ситуацией мне придется разбираться по мере моих хилых возможностей самому, а тебе ближайшие полгода на берег и появляться ни к чему – нахватаешься черных прыщей величиной с кулак. Не психуй! У меня мало времени заниматься твоим воспитанием. Включила магнитофон? Первое: запасные блоки управления реактором в контейнере N12, я их оставил в каморке около силового щита. Перетащи их в радиорубку. Там суше...

Юрий говорил часа три. Росинка записывала его голос на потрепанный Панасоник, самое важное вносила в бортовой журнал. Потом голос Юрия куда-то пропал, минут через двадцать появился вновь и опять пропал. Через сорок минут рация ожила вновь, но это был уже предсмертный бред. В шесть утра, когда голос Юрки погас навсегда, Росинка выключила магнитофон, закрыла бортовой журнал и окаменела.

День и ночь на барже разделялись между собой при помощи автоматического переключателя освещения, поскольку иллюминаторы были наглухо заварены еще предшественниками Костюка. Вспыхнув с характерным жужжанием, заработали лампы дневного света и погасли синие плафоны ночного освещения. Где-то со свистом провернулся вал моторчика автоматического управления климатом и загудела турбина, нагнетая теплый воздух. На кухне крякнул и тяжело вздохнул старенький холодильник. Недовольно скрипнула, повернувшись градусов на двадцать, антенна радиолокатора. Очень по-домашнему забулькала вода в кухонном автомате.

Просыпалось сложное механическое и электрическое хозяйство баржи. Росинка всегда его побаивалась, хотя во время частых отлучек Юрия как-то со всем этим справлялась.

– Господи! Как мне жить теперь!? Где силы найти, чтобы жить? Женщина я, о Боже. Моя плоть скудна, а дух немощен. Помоги, господи!

Звериная тоска перехлестнула горло Росинки. Чтобы не завыть, вцепилась зубами в запястье. Боль. Кровь. Дрожащей рукой перебросила рычажок тумблера селектора на каюту сына и пододвинула к себе микрофон.

– Доброе утро, Серый. Пора вставать. Как спалось?

– Спасибо, мать. У меня все в порядке. Можно подойти к тебе?

–Конечно, сынок. Только вначале умойся и почисть зубы.

– У меня готов кофе. Тебе с сахаром?

– Можно и с сахаром. Иди скорей.

Долгая, очень долгая минута ушла в прошлое, скрипнула петля люка и через высокий порог перешагнул Серый, одетый в выцветший от старости, но тщательно выглаженный комбинезон отца. В плечах широковат, а по длине как раз. Ловко балансируя подносом, на котором парил кофейник, белели чашки и высилась горкой осточертевшая халва, сын пытливо осмотрел радиорубку, поставил поднос на столик, вынул из нагрудного кармана отвертку и довернул отошедший винт на табличке около огнетушителя.

Росинка смотрела на сына и видела в нем Юрку, хотя в сумрачном тощем подростке, на первый взгляд, было очень мало от веселого, бесшабашного здоровяка – его отца. Теперь сын – ее единственная опора.

– Сергей. Я должна тебе сказать, что у нас больше нет отца. Сегодня ночью он умер.

– Я знаю об этом, мать. Отец сумел добраться до Янтуру и мне удалось переговорить с ним.

– Ты связался с ним по своей рации?

– Нет, мать. Нам рация не понадобилась.

– Что он сказал тебе?

– У него было мало сил, чтобы долго поддерживать связь в телепатическом режиме, но он успел сказать, чтобы я берег тебя и свою сестру, которая появится через шесть месяцев.

– Откуда он узнал, что будет именно девочка?

– Я ему это сказал.

– А ты почему так думаешь?

Серый пожал плечами:

– Я не «так думаю», а знаю наверняка.

Из приведенного диалога вслух не было сказано ни слова, но Росинка так устала, что на удивление не хватило сил. Уснула она здесь же на узком неудобном топчане. Последнее, что почувствовала Росинка, перед тем как впасть в долгий, целительный сон, это было ощущение того, что кто-то сильный и очень добрый взял на себя большую часть ноши ее горя.

Девочка родилась через пять с половиной месяцев. Когда Росинка пригласила Сергея посмотреть новорожденную, мальчик долго и пристально всматривался в бессмысленные голубые глаза девочки, пощекотал ее под подбородком и вдруг совершенно неожиданно улыбнулся.

Улыбнулся впервые в жизни, но не широкой отцовской улыбкой, а по-своему, чуть заметно, и только одной половиной лица.

Зимние, необычно свирепые морозы очистили побережье от чумы, но экипаж баржи решился выйти на берег со всеми возможными предосторожностями только через год. Сергей за это время внешне почти не изменился, разве, стал круче в плечах. Жизнь его была наполнена учебой и заботой о технических устройствах баржи, но все свободное время он отдавал Сашеньке. Девочка удалась очень живой, смешливой и редкой непоседой. Кроме хорошего здоровья, а им отличались все Костюки, у девочки оказалась буйная фантазия, которая проявилась с первыми выговоренными словами. Жизнь вокруг Саши была наполнена сказочными принцами, эльфами и зачарованными красавицами, поэтому общаться с ней иногда было невозможно, поскольку трудно было понять, где правда, а где вымысел. С братом девочка становилась сдержанней и серьезней, и тот занимался ее обучением, не жалея времени и сил.

Росинка, встревоженная тем, что нагрузки на Сашу могут быть непосильными, пыталась оградить девочку от излишних, по ее мнению, занятий. Но Сергей сумел настоять на своем:

– Нас слишком мало, и, чтобы выжить в этом мире, мы должны стать другими. Для этого нам нужно знать этот мир и научиться жить в нем, чтобы не заблудиться в себе.

– Да ей – то зачем все это? Она же еще такая маленькая!

– Если я ее пожалею сегодня, то вряд ли она мне простит это завтра, – возразил Сергей и продолжил занятия с девочкой. Сегодня он учил ее лечить колотые раны.

Когда Сергею исполнилось двадцать лет, мир баржи стал ему тесен. Всей информацией, которой был заряжен бортовой компьютер, юноша овладел, механизмы баржи стали ему скучны, и он передал их обслуживание подросшей Александре. Разве только снять прибор, установленный на корме баржи пришельцами, сестре не доверил – снял сам.

– Ничего особенного. Обычный термометр с запоминающим устройством, – объяснил он Сашке, которая, как всегда, крутилась около брата, – но вот систему защиты они решили очень интересно. Это мы можем использовать.

К подготовке эксперимента приступили в тот же день. В развалинах автобазы собрали кое-какие детали – и получился бронетранспортер. Снабдив машину силовой защитой пришельцев, радаром и счетверенной зенитной установкой, покрасили броню в вызывающий оранжевый цвет и принялись гонять по окрестным горам, поднимая клубы рыжей пыли.

Очень быстро это занятие Сергею надоело и, несмотря на возражения Александры, которая только вошла во вкус, он поставил машину у причала и закодировал систему зажигания. Матери объяснил:

– Это все уже было, мать, и никого не спасло. Будем считать, что это – моя последняя игрушка.

Вот тогда-то и начались для Росинки тягостные времена. Сергей стал задумчив и более чем молчалив. Понять, что происходит в его голове, было совсем невозможно. Его частые, неожиданные и, казалось бы, бесцельные выходы в горы, наполняли душу Росинки тревогой, но Серый предупреждения матери о возможной опасности подобных прогулок игнорировал:

– Некому там связываться со мной. Кто поумней – обходит стороной, а дурака не жалко.

Женщина искала понимания у дочери, а Саша больше тянулась к брату. Росинка осознавала, что сын знает больше, смотрит дальше и девочке с ним надежней. Но когда одиночество накатывало на женщину тяжелой мутной волной, она переставала принимать окружающий мир.

Если бы Росинка знала, как трудно ее сыну. Как давят на него неведомые, могущественные силы, накапливающиеся в недрах Караби-Яйлы. Как кто-то настойчивый и недобрый пытается проникнуть в его мысли, приручить волю, заставить уйти в лабиринты Большой Трубы без оружия. Ему необходимо было найти способы и силы защитить свое сознание.

Некоторым способам блокировки ментальных атак парня научил Ши. Сергей давно выследил ящера и после краткой, но очень жесткой пробы сил подружился с монстром. Они оказались необходимы друг другу, поскольку обоим порой не хватало возможности с кем-либо поспорить на равных, потолковать о вещах, интересующих обоих.

Любимым занятием при встречах Сергея и Ши стали шахматы, к которым по мере истощения количества незнакомых ситуаций добавили еще одно измерение, потом еще одно и еще. Остановились на гексамерных – появились некоторые затруднения с фантазией.

На барже гексамерные шахматы не привились, поскольку Росинка и Саша категорически отказались истязать себя таким образом, а корабельный компьютер «спятил» после второй партии, и пришлось потратить неделю на капитальный ремонт его «мозгов». «Голову» компьютеру вроде вылечили, но с легким «заиканием» ничего поделать уже не смогли. Таким образом, Ши и Сергей оказались единственными на побережье любителями столь странной игры. Партнерами они были равноценными, но Ши, когда проигрывал, очень огорчался.

Вкратце описанные нами последние десять лет жизни семьи Костюков прошли в мелких заботах, без особых приключений, не богато, но и без нужды (запасов пока хватало, да и сами кое-что выращивали в оранжерее). Радиомаяк баржи на сотне частот выбрасывал в эфир ее координаты, но никто пока не отзывался. Росинка жила заботами о дочери и тревогами о сыне. Сашенька росла, шалила, училась и ухаживала за механизмами, а Серый с тревогой поглядывал на горы. Он ожидал нападения... и дождался. Правда, с другой стороны.

Атомная субмарина идет в надводном положении практически бесшумно. Конец января. Зимняя осклизлость. Легкое волнение. На экране локатора слегка размытой извилистой лентой светится Крымский берег. Яркой звездочкой среди редких помех отражается цель. Там наверняка спят. Это хорошо.

До баржи был еще час хода, и капитан Хендлор, включив авторулевого, спустился из рубки в кают-компанию. Экипаж уже ждал его. Вернее, жалкие остатки экипажа. А ведь когда-то их было пятьдесят молодых и наглых. Они сумели захватить в Порт-Саидских доках только что отремонтированную, по завязку заправленную ядерным топливом подводную лодку и выйти в море. Тогда погибло восемнадцать парней, но и с остальными можно было неплохо воевать. Теперь на лодке четверо взрослых и трое детей. А кто доживет до утра?

Корабельная жена Элен одним движением десантного ножа вспорола банку консервированного хлеба и разделила его на четыре равные части. Забившийся в угол Деметрий (старший из детей) проглотил слюну. Сегодня дети не получат еды, потому что больше ничего нет, а силы понадобятся взрослым. Чтобы не видеть, как родители едят, мальчик отвернулся к стене. Хорошо, что малыши спят. Еще с вечера он дал им по две таблетки димедрола. Доза, конечно, лошадиная, но если сегодня взрослые не принесут из десанта еду, то таблетки станут последней пищей малышей. Деметрий умрет вместе с малышами. Жить не хотелось. Хотелось только есть. С тех пор, как лодку преследуют неудачи, голод стал привычным ощущением.

За последний год удалось выследить только одну выжившую колонию вблизи южного побережья Африки. Там были продукты и даже кое-что удалось отбить, но при этом погибли двое отцов, и теперь мужчин в лодке на большую операцию не хватает. Поэтому сегодня будут сражаться два последних десантника, корабельная мать и капитан. Если Деметрий станет большим, он тоже пойдет в десант, а пока надо ждать. На барже есть еда, и взрослые ее добудут.

Капитан тщательно следил за тем, чтобы пайки были равными. Никому не нужны ссоры перед атакой. Хендлор знал, что Элен нарушает корабельную схему семейных отношений, пренебрегая Силиным и отдавая предпочтение Мартину. Капитан готов был это терпеть, но Силин, старый кобель, ввязывался в драку за Элен по любому поводу и без такового. Очень многое на лодке зависит от этой ночи. На барже есть пища и женщины. Это можно было понять, прослушивая ее дурацкий радиомаяк. Беспечные глупцы! Мужчина, конечно, погибнет в бою. У него нет более приличного способа умереть. А женщины вернут мир в его экипаж и родят много детей. Подводной лодке нужны молодые воины.

Элен медленно пережевывала испорченными зубами свой кусок хлеба. Она идет в бой не только за пищей для своих детей. Там, на барже, она найдет способ отделаться от старого импотента и капитаном станет ее Мартин. Бабы тоже будут убиты. Мартину хватит и одной Элен.

Мартину было страшно. Да, он был трус и знал это. Но не дай боже, чтобы об этом узнал кто-то еще. Трусы на лодке не выживали. Мартин заносчиво осмотрелся вокруг и вдруг неожиданно для себя заявил:

– На баржу первым войду я. И, если кто-то посмеет сунуться раньше, получит свинцовую вишню в лоб.

Элен приосанилась, гордо обвела взглядом присутствующих и прикоснулась плечом к плечу Мартина.

Силину было на все плевать. Его знобило. Еще с вечера он слил с гидросистемы левого носового торпедного аппарата стакан какой-то гадости и только что в коридорчике выпил для храбрости. Мерзость редкая, и закуска не ахти. Ничего! Если они возьмут баржу, и при этом Силин останется жив, то будет все: и выпивка, и закуска, и бабы. А убьют? Ну и черт с ним. Надоело все смертельно.

Подводная лодка подошла к барже очень осторожно, и остановилась рядом, не касаясь борта. Силин и Мартин метнули петли и зацепились за что-то в ржавых надстройках. Мягко и бесшумно, как огромные черные кошки, десантники перебрались на борт железной махины. Люк в жилую палубу закрыт изнутри. Не беда. Пластит – отличный ключ к любому замку. Мартин прикрепил два пакета взрывчатки к навесам и еще один к запирающим устройствам, установил радиодетонаторы, спрятался за кормовую лебедку и нажал кнопку. Раздался гулкий взрыв – и сорванный люк, как в замедленном кино, сухим листом взлетел в воздух, проплыл над субмариной, пересек лунную дорожку и упал в море. Не давая опомниться хозяевам, десантники нырнули в баржу и нажали на гашетки автоматов.

Патронов не жалели –этого добра на лодке было лет на десять непрерывных боев.

Долгие годы относительной безопасности приучили Сергея и Росинку к глубокому, спокойному сну. В этот раз их разбудил взрыв. Серый, в чем был, выскочил из каюты в полную темноту коридора (взрыв повредил проводку), но подключить ночное зрение не успел. Вдоль по коридору прогрохотал свинцовый шквал автоматных очередей. Сильный удар в плечо отбросил Сергея в каюту, но боли не было. Сергей загнал ее вглубь, чтобы боль не мешала чувствовать ненависть четырех озверевших от голода упырей, бывших когда-то людьми.

Сергей вошел в их сознание и узнал, что десантники хотят убить его, при удаче – перебить друг друга, а кое-кто не прочь умереть и сам. Сергей сосредоточился и увидел мать, отстреливающуюся из старенького Калашникова сквозь слегка приоткрытую дверь каюты, и сестру, лихорадочно заряжающую патронами автоматный рожок. Похоже, что пару минут они продержатся, а больше и не надо. Парень вытянулся, прижался спиной к холодной стальной стене так, что заклепки вдавились в спину, закрыл глаза и отнял у нападающих отвагу и надежду, злобу и силу воли. По сердцу ударила их боль и страх, но жалеть уже было некого – и Сергей отнял у врагов их жизнь. Все. Теперь можно заняться собой.

Остановить кровь и затянуть рану – дело считанных минут. Аварийное освещение в конце концов включилось само, а мать и сестру Сергей нашел у выходного тамбура в полном здравии. Росинка стояла около трупа молодой женщины на коленях и пыталась прощупать пульс.

– Что ты сделал с ними, Сергей?

– Не знаю, мать. Я еще не придумал этому названия.

– Неужели нельзя было по-другому?

– Наверно, нельзя. Вернее, я еще не умею. Но я учусь, мать. Очень прилежно учусь.

Сергей снял с ближайшего трупа маску противогаза и увидел желтое, истощенное, заросшее щетиной лицо, искаженное предсмертной судорогой. На губах еще пузырилась кровавая пена. Правый глаз был открыт и тускл, а в уголке прикрытого левого глаза поблескивала слеза.

Росинка причитала над трупами:

– Господи! Прости нам все, что можешь. От великой нужды и голода грехи людские, а кровь этих несчастных не на нас, а на руках неразумных предков наших.

Сергей не стал мешать матери, сделал знак Александре остаться, и, перемахнув борт, спрыгнул на субмарину. Там, в капитанской каюте, он нашел троих детей: мальчика и девочку (на вид – не более годика) и еще одного мальчика постарше (лет семи). Когда Сергей вошел в каюту, Деметрий шагнул ему навстречу, вытянувшись во весь свой метровый рост. Истощенными дрожащими руками он пытался дослать патрон в огромный армейский пистолет.

Стреляя в родного брата,
Рискуешь попасть в себя…
(Найдено в бумагах
Сергея Костюка)

4. ТУМАННОЕ УТРО

Рассказ четвертый

(Нас уже шестеро. Выход на берег. Саша ушла с чужим. Смерть и ужас в Большой Трубе. Не убивай нас, пожалуйста…, брат!)

Спать хотелось смертельно. Росинка сидела у изголовья Аннушки и ждала, когда ее сменит Сашка. Деметрий устроился на кабельной катушке и внимательно следил за Росинкой, не расставаясь со стальной монтировкой, которой он обзавелся взамен отобранного Сергеем пистолета. На руках Росинки еще не сошли шрамы от его укусов, поэтому бдительность мальчика ее утомляла.

Дети были очень истощены. Имя свое знал только Деметрий, которого Сашка сразу же переименовала в Димку. Маленьким имена придумали сами и взялись их поднимать. Женька прижился быстро, а вот с Аннушкой и Димкой пришлось повозиться. Аня никак не могла оправиться от своих болезней, а Димка... Звереныш! Росинка не верила, что он сможет войти в их семью, но Серый обещал, что из мальчика будет толк:

– Ты бы видела, мать, как он меня встретил на лодке. Этому парню цены нет.

Ну что ж, посмотрим. Во всяком случае, беззаветная преданность Димки своим младшим Росинке нравилась.

Вошла Сашенька. Господи! До чего хороша! Высокая, стройная, очень развитая девица с пепельными локонами, перетянутыми витым кожаным шнурком. Даже самодельное платьице, сшитое Росинкой из старой портьеры, смотрелось на девочке, как от приличной портнихи. Росинка тяжело вздохнула. Уж очень не вписывалось в образ пистолетная кобура на широком армейском ремне, как бы Сашка ни украшала ее бисером…

Обменялись поцелуями, и Александра уселась с очень деловым видом на место матери. «Врачиха!» – улыбнулась про себя Росинка. Однако доверять ей можно было полностью. Что-то было в девочке такое, что боль утихала сама и хотелось жить – это женщина испытала на себе.

Росинка вышла, а Сашенька наклонилась к больной, провела ладонью над ее пылающим лбом, и жар слегка упал. Еще раз провела, потом помассировала руки и расстегнула на Анечке рубашку, чтобы послушать сердце.

Опасность! Александра резко обернулась. И вовремя.

Димка, как собранная боевая пружина, застыл посреди комнаты с поднятым над головой стальным прутом:

– Колдуешь, сволочь! Отойди от нар!

– Разговорился, красавчик! А я думала – ты совсем немой.

– Отойди от нар, курва! Убью!

- Э, малыш. Да ты совсем не в себе. Спать! Тебе пора спать! Все в порядке, мой хорошенький. Ты можешь уснуть спокойно. Спать... Спать... Спать...

Каюта поплыла вокруг Димки, глаза закрылись, и он мягко опустился на пол. Уснул.

Сашенька подошла, наклонилась к мальчику, разжала руку, вынула стальной прут и поставила в угол. Потом легко подняла Димку, перенесла на диван и подложила под голову свернутую куртку. На барже по корабельному расписанию наступала ночь и пора было спать.

Субмарину Сергей, основательно ограбив, пришвартовал с другой стороны пристани. Может, когда-нибудь пригодится энергетическая установка лодки, хотя был почти уверен в том, что можно, да и нужно обходиться без таких грязных и опасных вещей.

Через три дня после инцидента с подводной лодкой Сергей обнаружил, что мать отключила радиомаяк. Пришлось ему с матерью слегка поспорить, что при его характере известного молчуна было для нее непривычно:

– Пойми, мать, мы не имеем права его выключать. Нас здесь должно стать достаточно много, чтобы мы в конце концов не выродились.

– Но следующий визит может быть более опасным, а гости сильней!

– Ну и что же? Нам и нужны именно сильные. А на счет нашей потрясающей беспечности – ты совершенно права. Будем думать... – Серый помассировал стынущее после ранения плечо, – а то они у нас всю мебель на барже переломают. И добавил: – Радиомаяк должен продолжать работать! Ну не расстраивайся, мать! Смотри – всего одна драка, а нас стало вдвое больше.

Безопасность семьи начиналась с баржи. Облазив вместе с Александрой свое убежище от трюма до клотика, Серый пришел к самым неутешительным выводам. Если корпус, регулярно ремонтируемый, еще держался, то трубопроводы прогнили почти насквозь, электрическое хозяйство могло выйти из строя в самое ближайшее время, а санузлы ничего, кроме омерзения, не вызывали.

Лет пять-шесть, если регулярно латать дыры, баржа могла выдержать, но уже пришло время думать о более комфортабельном и надежном жилье.

В один из ближайших выходов на берег Сергей и Саша взяли с собой Росинку и показали очень неплохую площадку на террасе в устье Канакской Балки. Накануне Сергей выжег здесь всю опасную растительность, а Александра по окраинам посадила тополя, которые хорошо принялись и устремились вершинами к небу. Росинка неохотно осмотрела территорию, особых возражений не нашла, и Сергей при помощи своего бронетранспортера (все-таки пригодилась машина) затащил на площадку огромную цистерну из нержавеющей стали, которую много лет назад шторм выбросил на берег. Врезав в цистерну тамбур, иллюминаторы и оборудовав в ней две каюты, Сергей и Саша обеспечили себе герметичное убежище на ближайшее время, и стали пропадать на «даче» целыми неделями. Когда Димка немного окреп, стали брать и его с собой. Малый оказался очень толковым помощником, понимал, что от него требуется с полуслова, а чаще – без слов.

На втором году выхода на берег, когда уже можно было часами находиться вне убежища без противогаза, из гидропонной установки, которую Серега обнаружил во время очередной ревизии контейнеров, собрали теплицу. Димка и Александра по горсточке собрали из-под оползней полторы тонны древней незараженной земли. Серый подвел воду из ближайшего источника, наладил радиационную и химическую очистку, оборудовал теплицу лампами дневного света и отоплением. Атомную электростанцию Серый с Димкой перетащили на террасу в специально вырытый бункер, и ее мощности пока хватало на все с запасом. Для начала засеяли почву травой. Вскоре появились первые всходы. И однажды, собравшись всей семьей, привели показать теплицу упирающейся, крайне раздраженной непоседливостью детей Росинке – она очень не любила покидать баржу.

Демонстрацию теплицы обставили торжественно. Была подушечка с ножницами, красная ленточка поперек входа, а Сашка сыграла настоящий туш на самодельной гитаре.

Чтобы не огорчать детей, Росинка изобразила улыбку, перерезала ленточку и вошла. Ее встретил давно забытый пряный аромат земли. Женщина прошла на середину теплицы и медленно опустилась на мягкую зеленую траву. Сняла обувь. Провела рукой по нежным стрелкам пырея и заплакала, орошая стосковавшуюся почву сладкими слезами счастья.

Больше Росинка на баржу не возвращалась, а теплица стала ее основной заботой. С раннего утра до позднего вечера Росинка вместе с Женькой и Аннушкой копошилась на грядках, открывая для себя и детей новый мир, полный незнакомых запахов, ощущений и красоты.

Вот тогда-то и пригодился огромный набор семян, с незапамятных времен хранившийся в трюме. Каким образом удалось восстановить эти семена? Если бы я слыл романтиком, я сказал бы, что их восстановила любовь. Если бы был прагматиком – совершенство технологии хранения семян, разработанной древними учеными. Но поскольку я только старый сказочник, заблудившийся в подлунном мире среди бесконечного лабиринта троп, ведущих в никуда, то будем считать, что жизнь огромному множеству растений, которые мертвыми зернами много лет ждали своей судьбы в стаканах из нержавеющей стали, вернули неутомимые, огрубевшие от земли руки Росинки и ее радостные слезы.

Однако не все опыты дали положительный результат. Помидоры, огурцы и картофель, к примеру, удались на славу и пришлись по вкусу. Хороши были лук и чеснок. Но петрушка, укроп, горький перец и еще какое-то африканское чудо с шипами показались нашим героям совершенно несъедобными, особенно в больших количествах.

Когда дети подросли, а молодые чистые леса поднялись по склонам балки до водоразделов прибрежных хребтов, было решено покинуть баржу окончательно и переселиться на «дачу». Впрочем, итак последний год на барже наши колонисты бывали только для того, чтобы порыться на складе или втайне от Сергея отвинтить от механизмов какую-нибудь железку.

Террасу, на которой разместилась маленькая колония, узнать уже было невозможно: тополя выбросили свои свечи высоко вверх, по берегам ручья густо разросся орешник, а стальное убежище (дети называли его Бочкой) не было видно из-за виноградных лоз.

Все это великолепие при необходимости мгновенно перекрывалось двухсотметровой сферой силовой защиты, которую соорудили Серый с Димкой по образцу приборной защиты пришельцев. Правда купол Серого был гораздо мощней и совершенно прозрачен даже в дождь. В тех местах, где защитное поле смыкалось с землей, Аннушка и Женька поставили плетень, невысокий – по пояс, только, чтобы обозначить, потому что оказаться на этой границе в момент включения защиты для человека было опасно. Окончательно разграбить баржу Серый не решился и даже наоборот – целый месяц потратил на ремонт и консервацию. Не дай, конечно, боже, но может пригодиться.

Переселившись на берег, на свежем воздухе, натуральных витаминах и солнце, которое все чаще и чаще посещало оживающую землю, дети росли шумными и непоседливыми. Ссорились редко – некогда было.

Анечка удалась девочкой домашней. Не очень складная, но ласковая и заботливая, всегда при Росинке и при хозяйстве. Боевые психологические и телекинетические тренировки не любила, зато в саду и теплице была незаменима. Она могла говорить с растениями часами, и те, кажется, понимали ее. Во всяком случае, даже Росинка удивлялась, как Анечке удается выращивать не то, что посажено, а то, что хочется.

Женька ходил у Росинки в любимчиках. Мальчик рос [illegible] и разгильдяем. Настроение у него всегда было отличное, даже тогда, когда ему влетало по первое число от Серого за лень в учебе и нерадение к труду. Если Женьке было совсем невмоготу от придирок Серого, он прятался у Росинки во времянке, пристроенной к теплице, и окунался в мир зачитанной до дыр книги «Три мушкетера», подобранной Росинкой когда-то на заброшенной даче.

Димка не понимал его:

– Какого лешего пережевывать книгу целый месяц, если достаточно пролистать ее один раз – и весь текст до последней запятой останется в памяти навсегда? Когда надо, вынул из извилины любую страницу, получил справку и положил на место.

Женька снисходительно огрызался:

– Технократ несчастный. Для тебя и наш мир – только набор информации. Тебе недоступен мир королев и поэтов.

– Словоблуд ты, Женька. Вот вернется с гор Сашка, и я ей расскажу о твоем «мире королев», а потом посмотрю, как ты будешь на ее шуточках корчиться.

Трудолюбием, как мы уже отметили, Женька не отличался. Нет! Ни от какой работы он, конечно, не отказывался, но и первым за лопату не хватался. А о какой-либо инициативе в этом направлении и речи не было. Это очень раздражало Сергея, и он укорял Росинку:

– Гони ты его из теплицы, мать. Не век же ему там бока отлеживать.

– Не ворчи, сынок. Еще придется ему хлебнуть и горького, и соленого. Малыш он еще. Ему же где-то от тебя прятаться надо. А то свихнется. Ты хоть чувствуешь, как тяжело с тобой детям?

– Чувствую, но другого выхода нет. Надо все время идти вперед. По-другому нам не выжить. Если остановимся, то нас так отбросит в прошлое, что за год шерстью обрастем.

Серого лучше всего в семье понимал Димка. Физически не очень сильный, но упорный до настырности и хозяйственный, он был у Серого правой рукой и, казалось, не знал усталости. К брату и сестре Димка относился покровительственно, а Сашку избегал. Самолюбивый парень не мог простить ей беспощадного жестокого остроумия. В гексамерные шахматы Дима впервые сыграл в двенадцать лет. Две первые партии продул с треском, но больше не проигрывал ни Серому, ни Ши, ни обоим вместе.

В четвертый год выхода на берег Димка соорудил мощную радиостанцию, которая могла достать до любого места на земном шарике, и с тех пор блуждание в эфире стало его любимым занятием.

Серый придирчиво осмотрел Димкину самоделку, похвалил, кое-что переделал и предложил использовать как радиомаяк, поскольку радиостанция баржи давно истратила свой ресурс и могла замолкнуть навсегда в любую минуту. Да и мощность ее была невелика. С этого времени колония обрела такие возможности объявить о своем существовании, что любая выжившая группа на Земле, имеющая простейший приемник, могла запеленговать их.

Это было опасно, но Серый полагал, что может обнаружить приближение гостей на дальних подходах, а при необходимости, и определить их намерения. Так что «Добро пожаловать, гости дорогие!». Реальную опасность он ждал не издалека. Опасность была совсем рядом. И Сергей ее чувствовал. По ночам кто-то чуткий и осторожный пытается проникнуть в его мозг. Это давали о себе знать обитатели Большой Трубы.

Росинка и дети не знали об этом противоборстве, но Ши сочувствовал Сергею, поскольку доставалось на орехи и ему. В конце концов ящер не выдержал и уполз в сторону Кутля-Дере, коротко попрощавшись с Сергеем:

– Захочешь – найдешь. А мне здесь покоя больше не будет. Когда ты с мутантами начнешь разбираться, то грохота, пыли и дыма на всех хватит. Как по мне, то лучше бы тебе к ним не соваться. У этих ребят своих проблем хватает.

Сергею и самому было нелегко решиться на открытое противостояние с неведомыми и чуждыми существами, но когда-нибудь ему все-таки придется войти в Большую Трубу. Если на зов радиомаяка появится кто-то очень агрессивный, то наличие столь опасных соседей ему было ни к чему. Отношения с мутантами надо было выяснить, и Серый планировал это сделать через год-другой.

Случилось это гораздо раньше – в тот день, когда Димка впервые назвал Серого отцом. Он вошел в мастерскую с автоматом наизготовку:

– Отец! Саша ушла с чужим. След ведет в сторону Большой Трубы.

– Значит, таким образом? В самое больное место. Ну что ж, ребята, держитесь!

Сергей вынул из стойки базуку, прихватил мешок с гранатами (разбираться с баррикадами), забросил на плечо автомат (не железо решит дело, но так он увереннней себя чувствовал) и вышел из мастерской. На площадке перед домом собралась вся семья.

– Деметрий остается за старшего. Перекройте долину силовыми полями и информационным барьером. Все, что выползет из трубы, близко не подпускать. Сжигать на месте. Связь поддерживать только световыми и звуковыми сигналами. Если станет совсем туго, уходите на баржу, включайте корабельную защиту и дайте в эфир «SOS». Может, кто-нибудь услышит. Но это на крайний случай – прежде, чем застрелиться. Там продуктов всего на месяц. Если через пять суток не вернусь, не ждите. Вглубь Трубы не соваться ни при каких обстоятельствах. Даже если я сам вас попрошу об этом по радиотелефону.

Завершив свою необычно пространную речь, Серый вывел из гаража вездеход, высунулся из люка и прощально махнул рукой:

– Выше нос, господа! Мы еще спляшем тарантеллу на Большой Трубе.

Сказано все. Теперь за дело. Напряжением воли убрав все лишнее из поля зрения, Сергей определил след, как две цепочки тлеющих углей на зеленовато-сером инертном поле щебнистого суглинка. Следы вели вдоль долины в направлении к горам, к тому месту, где Большая Труба выходила из-под обрывов.

Сергей отпустил ручной тормоз, слегка газанул и включил сцепление. Боевая машина мягко взяла с места и, набрав скорость, поднимая клубы пыли, пошла вверх по долине к взлетающим в небо стенам Караби-Яйлы.

Во всем Сергей винил только себя. Он давно приметил, что Александра стала задумчивой, сторонилась младших детей, перестала откровенничать с матерью и часами пропадала в окрестных горах. Надо бы поговорить с девочкой и выяснить, что творится в этой замечательной головке. Да только все было как-то недосуг. Идиот!

Такое не могло присниться Реду и в самом страшном сне. Устав от ужаса, главный прогнозист наблюдал на экране монитора Центрального пульта управления, как машина огромной разрушительной силы идет к ним в трубе этиленопровода, перемалывая гранатами нехитрые баррикады в щепки, сжигая в пепел защитников, разрывая, как паутину, силовые поля и проламываясь сквозь психологические щиты. Погибли уже семеро из самых сильных, способных принять бой с Человеком Побережья.

В никелированном кресле с высокой спинкой и короной биоусилителя корчился Дуан. Зеленовато-серое лицо его стало бурым, шестипалые тонкие руки, покрытые мелкой серебристой чешуей, впились в подлокотники. Из-под ногтей показалась кровь. Сейчас Дуан пытается построить на пути чужака лабиринт с выходом в подпространство и увести чудовище туда, но энергетические возможности Человека Побережья неисчерпаемы, вряд ли у них это получится. Хорошо, если удастся выиграть немного времени. Дуан выдержит минут пятнадцать, а потом в кресло сядет он – Ред.

Мутант сокрушенно поцокал языком и обернулся к девушкам. Они стояли перед ним с огромными перепуганными глазами почти не отличимые друг от друга. Да это и неудивительно. Александра Костюк была прототипом для инженерно-генетического опыта TJ 17252. Очень удачный получился опыт. Девочка была любимицей центра. Недаром ее назвали Ладой. Теперь можно было бы каждый год выдавать по девять новорожденных с новым генетическим кодом. И вот все гибнет только потому, что Лада пригласила Сашу в гости.

Саша и Лада познакомились пять лет назад, еще детьми. Редкие встречи девочек стали случаться чаще и становились все продолжительней. Тайной мечтой Реда было через Сашу и Ладу установить деловые отношения с семьей Костюков, а при удаче, и объединить усилия для восстановления нормального биоценоза Земли. Детская самодеятельность обернулась большой кровью. Спасти бы хоть что-то.

– Взгляни на экран, Лада. Твои братья погибают один за другим, но остановить Сергея не могут. Если он войдет сюда, то не будет слушать объяснений. Он будет убивать и разрушать. Погибнут люди, лаборатории, генетические фонды и мечты наших предков. Дуан захрипел, на его губах появилась кровавая пена, значит, надо торопиться с наставлениями.

– Все это из-за вас, но и спасти хоть что-нибудь можете только ты и Александра. Сейчас вы пойдете в главный тоннель, пройдете два километра на север и свернете на запад в вентиляционный штрек. Запомните: штрек 136. Через пятьсот метров выйдете к месту обвала кровли. По завалу подниметесь в пещеру, которая выводит на поверхность Караби-Яйлы. Уводите Человека Побережья туда. Если вам это удастся, то мы успеем эвакуировать детей, большую часть архивов и генетический фонд в бункеры Севастопольского укрепрайона.

Дуан вытянулся в кресле, гортанно вскрикнул, затих, осунулся в кресле и умер. Кто-то должен занять его место.

– Уходите и торопитесь. За каждый километр вашего пути будет заплачено жизнью человека.

Ред бережно опустил покойного на пол в подготовленные носилки, сел на его место за пультом, надел терновый венок усилителя; прощаясь, кивнул девочкам головой и сосредоточился.

Когда Лада и Саша выбежали в Главный тоннель, Сергей был еще в трехстах метрах от развилки. Успели девочки.

Серый ломился сквозь Большую Трубу, как сквозь фантастические заросли ужасных видений. Взрывы отчаянного ужаса и сопротивления вызывали в нем только холодную решимость добить это змеиное гнездо. Из светящейся темноты на него наплывали искаженные мукой зеленые нечеловеческие лица с залитыми кровью глазами и рассыпались цветным серпантином.

Непосильное напряжение отражалось в каждой мышце острой болью, но энергетическая подпитка от атомного реактора работала безупречно. Вот след ушел в стену, вот опять появился из стены и пошел далее вдоль штрека. Значит, сплошной стены здесь нет. Ничего. Чуть поздней найдём время разобраться. А сейчас главное – Саша. Она жива и только что была здесь. Похоже, что идет по своей воле. Впрочем, какая там у девочки воля. Развилка. Бронетранспортер пришлось бросить. Штрек, по которому ушли следы, слишком узок. Серый, прихватив сумку с гранатами и автомат, выскочил из люка и, поправив на каске тепловой сканер, пошел пешком.

Пока Лада и Саша бежали через вентиляционный штрек и сквозь крупно-глыбовый завал выбирались в природную карстовую галерею. В никелированном кресле Центрального пульта управления погибли Ред и еще двое.

Сергей шел вверх по обширной пещере, круто поднимающейся зигзагами на северо-восток. Там, где девушки легко бежали, перепрыгивая с глыбы на глыбу, он обрушивал вниз целые каменные потоки. Чем дальше Сергей уходил от жилищ мутантов, тем слабее были их атаки, а потом иссякли совсем. Ну и слава богу. Искать след на циклопических глыбах, омываемых пещерным дождем, было и без того затруднительно.

То, что Сашка хорошо видит в темноте, для Сергея не было новостью, но откуда у девочки столько сил? И кто с ней? Куда ведут его эти следы? Все происходящее было похоже на нелепый страшный сон.

Поднявшись по галерее метров на четыреста, Серый вышел в большой зал, служивший ложем леднику. Значит, до поверхности уже близко. Здесь он почувствовал Сашу совсем рядом, разыскал нишу в стене, завешенную древним полуразложившимся куском полиэтилена, сорвал его. Там был низкий стол, сложенный из камней, на столе горел огарок свечи, на каменной лежанке сидели две девушки, похожие друг на друга, как две капли воды. Лица их осунулись от усталости, а огромные глаза были полны страха. Лада встала ему навстречу:

– Не убивай нас, пожалуйста, брат!

Серый вышел из пещеры поздно ночью. На душе было грустно. Сергей шел по плато, не чувствуя усталости. Сидя на его руках и обняв за шею, спали завернутые в тряпье два самых родных в мире существа. Они слегка посапывали. Надо будет напоить дома малиной.

Стая собак, вышедшая на охоту, почуяла Сергея издалека и свернула в другую сторону. С неба в полном безветрии и тишине падал первый в этом году снег. Нежный, как пух, и совершенно белый.

И до чего в ночи бывает плохо,
Душа в крови, и черной кровью плачет...
По вымощенной трупами дороге
Ушел в ничто твой поседевший мальчик.
(Найдено в бумагах Ростилавы Костюк.
автор стихов неизвестен)

5. ЖИТЬ И УМЕРЕТЬ

Рассказ пятый

(Встреча с Ши. Каким быть Человеку. Цыпленок с тремя головами. Адмирал лунной империи. Сергей ушёл. Берегите мальчиков. Принимать гостей.)

Овраг Кутля-Дере и раньше был местом не особенно людным, а когда время разрушило остатки дорог, бетонные сооружения пограничного поста, причал и цеха цементного завода, дремучий лес покрыл склоны оврага от верховьев до устья, выходящего к морю. По дну оврага протекал хрустально прозрачный ручей и ближе к пляжу терялся в крупной гальке. Редкие поляны на ступенях оползней заросли земляникой и высокой шелковистой травой. Вот такую поляну, открывающуюся обрывом в сторону моря, и облюбовал себе Ши для отдыха в этот день. Сюда попадало солнце, которое так любил Великий ящер. Кроме того, свежий морской ветер отгонял слепней.

К ящеру пришел в гости его старый приятель Сергей Костюк, и Ши был доволен этим. Серый последние годы редко навещал своего друга. Население поселка в Канакской балке разрослось. К Костюкам присоединилась часть мутантов из Большой Трубы (из тех, которые могли жить на берегу моря), две семьи болгар, приплывших на паруснике из-за моря, девять семей, пришедших пешком с Южного Урала, пять семей чудом уцелевших рязанских уроженцев и много других с разных концов континента. Были даже несколько задумчивых индусов и десяток очень пылких африканцев.

Прибывших надо было разместить, помочь устроиться, а первое время и помочь продуктами, пока у них не появится свой урожай. На террасах Канакской балки появились новые дома, сады и огороды. По склонам бродили овцы. Саженцами, рассадой и семенами новых поселенцев снабжала Росинка, а молодняком скота – Лада. Заботы по общей координации как-то сами собой легли на широкие плечи Серого. Кроме того, он занимался встречей гостей, которых становилось все больше. Гости бывали разные: крупную группу черкесов пришлось выбивать оружием, а пятеро армян поселились было в Канакской балке, но не прижились и ушли на запад. Очень занятый был человек – друг Серега.

Конечно, Ши мог бы и сам приползти в гости, но его визитов в поселок новички побаивались. В конце концов время у Сергея находилось, и он появлялся в Кутля-Дере. И это хорошо!

Была еще одна причина для отличного настроения. Серый прогнал большую компанию подростков, которые приходили по воскресеньям купать ящера, заплетать его многочисленные хвосты в косы и слушать совершенно фантастические истории из жизни выдающихся монстров и волшебных принцесс космической красоты. Нет! Конечно, Ши был не против воскресных гостей. Но сегодня было очень жарко.

Серый устроился около головы огромного ящера, свесив ноги с обрыва. Костюк с годами поседел, прибавил в весе, но смотрелся еще очень неплохо. Одет он был в потрепанные шорты и выцветшую клетчатую рубашку. Загорелое обветренное лицо выглядело очень молодо, но глаза выдавали усталость: чувствовалось, что жизнь у человека была нелегкая. По оранжевому телу ящера побежали сиреневые узоры, что означало сочувствие.

Почувствовав внимание к себе, Серый разоткровенничался:

– Боятся они меня все. Боятся звери, птицы, рыбы, люди... Особенно те, кто из Большой Трубы. И меня от их зеленых физиономий тоска берет. Хлорофилл у них там в чешуе или что другое, очень нужное, а мне все равно. Руки их видел? Щупальцы какие-то. Пальцев то четыре, то шесть, то восемь. Всегда почему-то четное число. Гомункулусы из чертовой колбы! Те, которые с Балкан или с Урала, совсем на людей похожи, особенно дети, а которые из Трубы – чужие. Некоторые, правда, совсем, как мы, но привыкнуть к ним не могу.

– Им к тебе тоже привыкнуть не легко. Еще твой отец на мутантов охоту устраивал, когда они совсем еще слабыми были (миллионеров развлекал). А свои подвиги помнишь? Сколько этих бедолаг перебил?

– Но тогда совсем другое время было!

– Какое там другое?! Сейчас время тоже не простое. Морды ему зеленые не нравятся! А вы-то, с белыми лицами, лучше их, значит?

– Мы ближе к генотипу настоящего человека. И многие считают, что мы с годами вернемся к этому генотипу.

– К какому такому генотипу? Да кто из вас помнит этот генотип? С аппендицитом? Геморроем? Язвой? Слабым сердцем? Раковыми опухолями? Короткой жизнью? Стоит ли ради этого стараться? Возвращение к старому генотипу будет означать новые горы из бетона, ржавого железа и резины, вонючие алюминиевые птицы, ржавые гигантские корабли. И как результат – вновь бурые туманы, крысы и чума. Не нужен этой планете такой генотип. Вот она вас и сокращает время от времени, пока не поймете, какой дорогой идти.

Ши чувствовал, что их разговор не радует приятеля. А ему хотелось встряхнуть Сергея, вытащить из депрессии. Но сегодня эта попытка ящеру, пожалуй, не удалась. Что-то угнетало Сергея до такой степени, что помочь ему было невозможно.

– Ты, как всегда, прав, Ши. Мой отец шел по этой дороге и завещал мне идти по ней. Но путь оказался не прост, дух мой в смятении, и я устал. Я хочу присесть где-нибудь на обочине и отдохнуть. Прости меня, Ши, если мы больше не увидимся. Будь здоров!

Сергей легко встал, отряхнул шорты, погладил ящера по огромной плоской голове и ушел в сторону Канакской балки. Даже в шахматы не сыграли... Великому старому Ши впервые за всю чудовищно огромную жизнь стало грустно. Раньше ему неведомо было такое чувство. Видно, передалось Ши от человека что-то, что сделало его ранимым. И ящер впервые задумался о смысле своей бесконечной жизни.

Сергей не спеша шел по узкой тропе к своему поселку. Он не отгонял от себя воспоминаний. Мертвые один за другим проходили перед ним полупрозрачными призраками: и озверевший от голода экипаж подводной лодки, и живьем сожженные мутанты Большой

Трубы, и черноглазые джигиты, хотевшие слегка пограбить, понасиловать и поубивать в поселках на их побережье... И кое – кто еще, кого пришлось выгнать из долины практически на верную смерть. Ох, как их было много. Гости бывали почти каждый год, и далеко не все приходили с миром.

Когда Сергей подошел к своему дому, баба Росинка пекла блины. Ровная стопочка вкусностей высилась на деревянном блюде, разнося вокруг волшебный аромат. На штабеле дров около летней кухоньки, которую соорудил для матери Женька, сидели два загорелых существа – мальчик и девочка лет десяти. Им было явно все равно, что там печется на сковородке. Они в ту сторону даже не смотрели. Дети мирно беседовали. Мальчик тихо, но так чтобы слыхала Росинка, сообщил сестре совершенно равнодушным голосом:

– Слышь, Машка. И кто бы мог подумать, что Пеструшка родит живого цыпленка с тремя головами...

Росинка ахнула и бросилась в курятник, а дети слетели с поленницы, засунули в рот по блину и опять уселись на свои места. Глаза их шкодливо блестели, а челюсти быстро-быстро пережевывали добычу. Из курятника вышла разгневанная Росинка, грозно оглянулась и, размахивая сложенным вдвое полотенцем, двинулась на плутов...

Сергей жестко улыбнулся.

– Ради этих пацанов я с удовольствием еще пару раз пройдусь по трупам, если надо будет... – И вдруг испарина покрыла его лоб. Он замыслился: – о чем это я? (Неужели мысль о насилии стала ему приятной?) Может, я уже убийца из тех, кому пролитая кровь доставляет радость?»

Перехватило дыхание и остро заболело за грудиной. Так Сергей впервые почувствовал, что у него есть сердце.

Адмирал Ли полулежал в шикарном просторном кресле командного пункта своего боевого планетолета. Еще пять машин такого же класса зависли чуть в стороне позади, ожидая его приказов. Алмазная Лунная империя, объединявшая двести жилых куполов вечного и счастливого служения Отечеству, послала своего замечательного адмирала со святой задачей освободить Мать-Землю еще от одного змеиного гнезда мутантов. Когда будет решено переселить на Землю города империи, Мать-планета должна быть очищена от всех, кто не смог сберечь человеческий облик.

Храбрейший из храбрых любил такие задания. Занимали они не много времени, а поселки мутантов располагались обычно в очень живописных и приятных местах. Эмиссарам правительства после каждой подобной операции приходилось тратить немало сил, чтобы вернуть Великого героя Лунной империи, непобедимого воина Ли, в «благоухающие» мочой и карболкой полупустые бетонные купола Родины.

Играя иссохшей, унизанной драгоценными перстнями кистью на клавиатуре компьютера, адмирал вызывал на дисплей то одну, то другую картинку Крымского побережья. С орбиты это все смотрелось весьма и весьма симпатично. Пожалуй, процесс очищения планеты здесь происходил наиболее интенсивно. «Роскошные места! Необходимо максимально сохранить все это в процессе намеченных работ, – прикинул Ли. – На этом побережье стоило бы заложить пару имений, пока прохвосты из Министерства имущества Императора не захватили лучшие земли».

Схема предстоящего дела была продумана до тонкостей: все сопротивляющиеся будут убиты, а оставшиеся в живых – сосредоточены в селекционных лагерях. Специальная комиссия из опытных антропологов определит степень чистоты каждого из них. Явных мутантов конвой загонит в какую-нибудь штольню поглубже, умертвит и завалит вход. Скрытые мутанты будут стерилизованы и использованы на тяжелых работах в Лунной империи. Ну а если встретятся достаточно чистые? Такие адмиралу еще не встречались.

Растягивая удовольствие неторопливых размышлений перед кропотливой и нервной работой, адмирал еще раз переключился на канал, который ему больше всего нравился. На экране возник просторный, хорошо ухоженный крестьянский двор, окруженный низким плетнем и тополями. Стройная, красивая женщина подвязывает ветви старой груши в саду, девочка лет семи сыплет зерно курам, высокий, богатырски сложенный парень поглаживает замечательного коня арабских кровей.

Скакуна придется подарить Императору, но пастуха адмирал возьмет себе. Из такого выйдет отличный евнух для загородного дворца.

На дисплее будущий раб адмирала в последний раз приласкал прекрасное создание; шлепнул по крупу, прощаясь; поднял голову к небу – и адмирал увидел хмурое, беспощадное лицо старого воина. Землянин подмигнул адмиралу, и Ли понял, что мощь его эскадры – не более чем бумажный голубь в океане бесконечных звездных спиралей. А когда из динамика сверхсекретной имперской связи вдруг донеслось насмешливое приветствие «Привет, старый хрыч! Император еще не пронюхал о твоей импотенции?», храбрейшему из храбрых стало ясно, что для этого полуголого атлета нет ни одной тайной мысли на космических кораблях его величества, а тысяча атомных торпед адмиральской эскадры не опасней рогатки гимназиста.

Теряя память, Ли как в бежевом тумане увидел свою руку, протянутую к кнопкам селектора, и кто-то другой его голосом скомандовал армаде возвращаться в Империю. Еще через мгновенье Великий воин Лунной империи, адмирал Ли, уже не мог понять, что занесло его корабли на эту орбиту.

Сергею удалось не только развернуть армаду и выбить из нее всю информацию о своей колонии. Заодно он стер все сведения о крымских поселениях у самого Императора, канцлера, кабинета министров, а главное, из памяти компьютера Центрального разведывательного управления. Кроме всего прочего, на ближайшие годы у всей императорской фамилии и генералитета при взгляде на Землю были запрограммированы головные боли и жесточайшие приступы меланхолии, что привело через некоторое время Лунную империю к упадку.

Заполненный ненавистью и болью мозг выдержал... Не выдержало сердце...

Поминки были скромными. Собрали только семью. На большом столе, сбитом из дубовых плах, рубиново светилось молодое вино и лежал порезанный крупными ломтями хлеб. Перед стулом Серого тоже поставили стакан с вином. Тихий разговор о насущных проблемах семьи перемежался воспоминаниями о покойном. В разговоре не участвовала только Росинка. Она сидела в своем кресле и не могла оторвать взгляд от дверей, через которые выходил к завтраку Серый. «Нет. Ни сегодня и никогда он не выйдет к столу, не скрипнет под его весом прочное кресло, не отломит глава семьи от каравая корочку и не окунет в драгоценную соль. Мой маленький мальчик».

Росинка встала и неверными шагами, придерживаясь за спинки стульев, пошла к себе в комнату. Саша и Анечка бросились к ней, но Росинка остановила их жестом.

– Возвращайтесь. Берегите их. Мальчики совсем не умеют заботиться о себе.

Ушла. Затворила за собой дверь. Присела на топчан, крытый простым рядном, и заплакала. Теперь она могла себе это позволить.

Когда мать ушла с веранды в свою комнатушку, минут десять все молчали. Никто не хотел начинать трудный разговор. Когда молчание стало нестерпимым, заговорил Деметрий:

– Отец мог просто уничтожить их. Это не требовало особых усилий, и он остался бы жить. Он мог позвать меня или любого из вас, и тогда выполненное им не убило бы его. Он знал, что умрет.

– Сергей оставил мне записку, – Александра и вынула из-за корсажа сложенный вчетверо листок бумаги, развернула письмо и положила на стол. – Он попрощался с нами.

– Ничего не могу понять, – простонала Аннушка. – Ведь вы все знали и могли спасти отца. Даже когда его нашли во дворе без сознания, еще было не поздно.

– Отец не хотел жить, Анечка, – поглаживая вздрагивающее плечо сестры, заговорил Евгений. Все самое трудное он брал на себя и устал. Мы не могли лишить его права уйти так, как он хотел.

– Я думаю, что надо выключить радиостанцию, – поджав губы, заявила Саша, – слишком дорого обошлась нашей семье ее работа.

– Нет. Не имеем права, и отец нам этого не простил бы. Только встречать гостей теперь придется иначе. Будем практиковать семейные приемы, – и Дима криво, словно нехотя, улыбнулся. Одной половиной лица. Совсем, как Сергей.

Расстелились поля в полночь,
Устремились леса к небу,
Звезды стаями псов гончих
Улетают к утру в небыль...
(Из первых стихов Олега Костюка,
Канакская балка, 225-ый год
возвращения на берег)

6. ЭКЗАМЕН НА ДРУЖБУ С ОРЛОМ

Рассказ шестой

(Шахтерский десант. Семейный прием. Ушла Росинка. Мой друг – вороной конь. Ветер яйлы. Пора идти домой.)

Ведущий инженер Литык в последний раз просматривал фотоснимки. Просто так. Чтобы быстрее пролетело время, пока экипаж и десант занимают места в гидроплане. Каждая черточка на этих плотных глянцевых листах пластмассы была тщательно проанализирована специалистами. Он сам проверял ход работ по теме 1634 Кр. Вот самый древний снимок спутника-разведчика. Крым с высоты двести километров. На общем желтовато-буром фоне четко выделяется маленькое зеленое пятнышко между Алуштой и Судаком. На следующем снимке, сделанном через год, пятно несколько расширилось, но очень незначительно, а вот через двадцать лет пятно уже перекрыло километров тридцать побережья и выползло в горы.

Вне сомнения, идет интенсивная смена растительности и очаг этих процессов находится в том месте, которое на старинных картах называлось Канакской балкой.

А вот последний снимок. Принесли только вчера. Под лупой видна сеть тропинок и отдельные дома. Цвет свежей зелени перекрыл весь Крым и проник за Перекоп. Работает приличная радиостанция. Очевидно, что в Крыму действует мощный восстановительный экологический центр. Таких на планете еще четыре. Но они явно меньше.

Двадцать лет тому Литык выдвинул программу подготовки и проведения разведочных полетов по выжившим поселкам. Но тогда его вызвали в Горный совет и объяснили, что не он первый выдвинул такой проект и все эти очень интересные предложения были отвергнуты по следующим причинам:

– трудозатраты на подготовку и исполнение проекта явно больше, чем может себе позволить население их убежища, и если позволить себе роскошь и начать подготовку таких полетов, то придется уменьшить объемы работ по расширению сети жилых штолен;

– проект отвлечет наиболее работоспособную часть населения;

–в случае неудачи погибнет большая часть молодежной, составляющей населения убежища, что неминуемо приведет к нежелательным демографическим последствиям;

– самым опасным следствием проекта Совет считает возможность рассекретить местоположение убежища.

Литык и сам хорошо понимал, что у подземных городов Таймыра хватает проблем и без его прожектов.

Когда-то их предки чудом уцелели, потому что успели отсечь все коммуникационные линии, которые соединяли их с миром, и глобальный мор обошел их стороной. Кроме того, ценой тяжелых людских потерь шахтерам и геологам удалось сквозь подземные минные поля пробить штольни в заброшенные атомные убежища, выстроенные в древние времена на Таймыре для сильных мира сего. Там много чего было складировано, что позволило выжить, поднять детей и внуков.

Самые опасные времена для подземных городов Таймыра были связаны с отражением атак неизвестно откуда взявшейся дивизии боевых подземоходов – остатков какой-то недобитой армии. Ценой большой крови шахтерам удалось отстоять свои города, но Горный совет запретил любой выход в эфир, как и другие действия, которые могли привести к рассекречиванию места их городов.

Литыку пришлось потратить очень много энергии и времени, чтобы доказать Горному совету, что самоизоляция в конце концов приведет к вырождению и гибели. Кое-какие симптомы уже были известны. Седые старцы согласились с ним, но пока сам Литык не стал членом Горного совета и не протащил в него несколько своих единомышленников, добиться определенного решения не удавалось. Три года назад было решено принять его план, но с двумя условиями: обследуется только один объект и обеспечивается максимальная секретность.

Проанализировав имеющиеся в его распоряжении разведывательные данные, Литык выбрал Крым, поскольку это был самый зеленый район планеты, а, может, еще и потому, что именно оттуда в последние годы прилетали птицы на Таймыр летовать.

Подготовка к экспедиции заняла еще два года, поскольку неожиданности могли быть очень суровые. Экипаж и десант готовили из самых сильных и ловких в обращении с оружием парней. Научно-исследовательскую группу Литык набрал в своем институте, но им тоже пришлось овладеть оружием в совершенстве, поскольку в случае опасности особых отличий между десантом и «научниками» не должно было быть. Каждый, кто сейчас грузился в самолет, был готов не только к смертельной схватке, но и к самоликвидации: возможный враг ни в коем случае не должен был узнать, откуда вылетел самолет.

Литык собрал снимки, вложил в конверт, заклеил, обвязал тесемкой и закрепил узел сургучной печатью. Потом ведущий инженер, недовольно бурча, вложил пакет в портфель, включил устройство самоподрыва и сунул это чудо секретности в сейф: теперь до его возвращения никто не сможет заглянуть в портфель без риска лишиться рук. Почему такие предосторожности в обращении с материалами, которые завтра станут макулатурой, Литыку было непонятно, но ссориться с маразматиками из первого отдела не имело смысла. Если ему запретили брать снимки с собой, он обойдется без этих материалов. Там ему без многого придется обходиться.

Все. Пора идти. Литык последний раз осмотрел кабинет, смахнул с полированной крышки стола пылинку, поправил объемную фотографию дочери, вышел и аккуратно прикрыл за собой стальную дверь.

Минут двадцать хода на электрокаре по безлюдным в это время ночи штрекам, три минуты подъема на скоростном лифте – и вот Литык в стартовом колодце главной катапульты. Огромный гидросамолет, изготовленный специально для этой экспедиции, отсвечивал титановым бортом. Литык любил этого гиганта с атомным сердцем. Могучая машина, установленная на улавливателях стартовой платформы, была готова к полету и ждала только его. Десант и экипаж уже заняли места. Литык последним протиснулся в люк и по узкой лесенке пробрался в отсек штурмана. Здесь ему была подготовлена откидная скамеечка. Командир машины провел сверку, дал отсчет времени, и катапульта выбросила гидросамолет в атмосферу.

Высоту и скорость набрали в штатном режиме, и машина, оставляя за собой невидимый в кромешной темноте инверсионный след, ушла на юг.

Летающая лодка приводнилась в километре от побережья, и, взревев винтами, подрулила ближе к берегу. Десант сбросил на воду надувные плоты. Тяжело вооруженные парни посыпались из самолета и, неловко размахивая веслами, кое-как погребли к берегу. Уже только то, что они долетели в намеченный район без особых приключений, было чудом, поскольку экипаж получил свой опыт на тренажерах. А где же десанту было научиться грести на волне? С некоторыми сложностями, но без жертв десантники преодолели прибой, рассыпались по берегу веером и залегли, прощупывая пространство перед собой лазерными прицелами автоматов.

Литык высадился вместе с первой группой, но не стал падать в траву и ползать на четвереньках по кустам. Устав, конечно, есть устав, но инженер почему-то был уверен, что на этих берегах действуют совсем другие законы. Надо было осмотреться, а из положения лежа много не увидишь.

Желтовато-серый песок пляжа, на который высадился десант, переходил в мягкую невысокую траву приморского луга. На границе луга и пляжа ярким пятном празднично алел легкий полотняный навес. Под навесом на простенькой дощатой скамеечке лежала незатейливо сшитая матерчатая кукла и горстка окатанных волнами цветных камешков. Отсюда чуть прогретая солнцем тропа уводила вглубь побережья. Литыку до смерти захотелось снять кованые сапоги и пройтись по этой тропе босиком. Кто-то лукавый из глубины сознания посоветовал: «Ну и сними. Зачем себе в чем-то отказывать?» – «Сказал тоже. Первый раз в гости, и босиком».

В потайном уголке мозга что-то хихикнуло, и у Литыка создалось впечатление, что он переговорил с хорошим человеком. С самим собой, что ли? Отогнав от себя легкие мысли, он, грузно ступая по мелким, рассыпающимся в песок ракушкам, побрел в глубину долины вслед за тропой, которая поднималась не круто в гору, петляя между дубовыми зарослями.

Минут через пятнадцать подъема, потный как мышь, Литык понял, что раскалившиеся на солнце, звонко гремящие титаном доспехи угробят его скорей, чем возможные враги. Определив для себя этот факт как объективную реальность, инженер прислонил к ближайшему дереву надоевший пулемет, решительно поднял забрало и осторожно вдохнул воздух. «Непривычно, но дышать можно», – подытожил Литык. Впрочем, об этом он знал наперед. Откуда появилось это знание? Потом разберемся. А пока следует накапливать информацию.

Когда Литык по тропе поднялся метров на пятьдесят выше уровня моря, перед ним открылась обширная поляна, обсаженная древними как мир пирамидальными тополями. Поляну пересекал низкий, по пояс, плетень с калиткой. За плетнем перед просторным деревянным домом, крытым черепицей, Литыка ожидали четверо.

Чуть впереди стоял невысокий худощавый оливково-смуглый мужчина. Чувствовалось в нем что-то очень опасное. Может, твердый оценивающий взгляд? Может, кривая полуулыбка?

Второй мужчина был значительно, выше и замечательно до зеркального блеска, лыс. Чуть располневшее рыхловатое лицо сибарита красили веселые, не без лукавства глаза. Этот кивнул Литыку, как старому знакомому, и улыбнулся.

Рядом с ним испуганно таращила глаза симпатичная толстушка. Чувствовалось, что происходящим она встревожена больше всех.

Чуть поодаль от остальных теребила вышитое полотенце стройная и очень красивая женщина с тщательно уложенными пепельными волосами.

Десантник подошел к калитке и снял шлем. Душистый крымский ветер чуть шевельнул его редкие волосы, никогда не знавшие солнца. В ветвях ближайшего дерева скворцы подняли гам и затихли. Где-то скрипел сверчок. Литык еще раз скользнул взглядом по лицам и свершил глубокий земной поклон

Хозяева переглянулись, и Деметрий, облегченно вздохнув, убрал контроль с компьютера атомной установки гидросамолета.

Евгений, смущенно улыбнувшись, бросил регистрировать мысли Литыка, его десанта, а заодно Горного совета, и, заговорщицки подмигнув, вытащил из-за спины огромный запотевший кувшин с вином. Аннушка осуждающе зыркнула на брата, но защиту с поляны сняла. А бабушка Саша развернула «рушнык», в котором оказался хлеб с солью, и взглядом отворила калитку.

Это была двадцать третья группа выживших землян, которых приняла семья Костюков.

Ростислава Костюк жила долго, очень долго. А когда устала жить, попрощалась с семьей и, не торопясь, но и не мешкая, поднялась на вершину горы Янтуру, на которой когда-то последний раз уснул ее Юрка. Здесь стояла маленькая часовенка, сложенная из аккуратно подобранных серых плиток песчаника. В часовне было сумрачно и свежо. Росинка взяла с полки бутылочку с маслом, долила в лампаду и при ее неверном свете долго всматривалась в лик спасителя, так похожий на лица ее детей. Истово перекрестилась на образ: может, там им легче будет. Хочется, очень хочется верить.

Вышла из часовни, присела на камень у стены и заснула навсегда, привалившись к замшелому песчанику. Далеко внизу по всей Канакской балке ее внуки и правнуки вышли из домов, чтобы взглядом проводить Росинку. Последним воспоминанием, посетившим ее затухающий мозг, была дискотека в Акманайских катакомбах, юный бесшабашный весельчак Юрка из колледжа спасателей да половина ржаного сухаря, отломленного им на прощанье от скудной пайки студента.

Олегу исполнилось пять лет, когда ему подарили жеребенка. Лошонок в положенные сроки вырос и превратился в черного, как смоль, очень красивого и резвого коня. Вчера Олег и пять его сверстников на заливных лугах речки Усть-Кут демонстрировали свои достижения в джигитовке старейшинам. Олег экзамен «на дружбу с конем» сдал, хотя и получил замечание за то, что жеребец слишком избалован. Но самое главное – Олег получал право самостоятельно путешествовать в пределах восстановленной зоны. Это был большой праздник для подростка. Через пять лет ему доверят орленка, которого надо будет научить летать. Но праздник свободного полета будет еще не скоро. А сегодняшнее утро было первое после экзамена, и мальчик не хотел тратить время зря.

С сеновала, где ему разрешалось спать круглый год, он спрыгнул ловко и бесшумно, как кошка, сквозь предрассветную мглу выбежал за околицу и негромко свистнул. Поджарый вороной конь-двухлетка с белым пятнышком на лбу вышел к нему из высокой травы и, здороваясь, легко куснул в ладонь. Олежка взлетел на коня и пришпорил голыми пятками. Когда конь и всадник поднялись на Караби-Яйлу, солнце только вышло из-за горизонта.

Раздолье-то какое! Всхолмленные просторы Яйлы гигантскими волнами катились к горизонту. Утренний холодный ветер огнем ожег загорелую крепкую грудь мальчишки. Взбодренный конь иноходью пошел по горным лугам, сшибая обильную росу и закручивая ее вокруг себя в вихрь. Мокрый как хлющ, Олежка орал от восторга что-то совсем индейское.

Когда солнце поднялось совсем высоко, Олег выехал к жерлу огромной пещеры, чернеющей на склоне холма. Вот здорово! Наверное, еще никто и никогда до него не спускался в эту пещеру. Мальчик соскочил с коня и побежал к черной арке входа. Жутко дыхнуло холодом огромного пещерного ледника. В стене торчал забитый кем-то титановый скальный крюк. Надо обязательно сюда вернуться с веревкой. В таких местах можно найти много интересного.

Когда озябший парнишка выбрался из карстового провала к солнцу, из развала камней прямо ему в ноги с яростным лаем выкатились четыре крупных щенка. Лохматые, как медвежата, звереныши обнюхали Олега, признали за своего и устроили такую веселую возню на фиолетовом ковре из цветущего чабреца, что мальчик, забыв обо всем, включился в борьбу со всем азартом здорового ребенка. А зря. Ему бы не мешало заметить, что его конь чем-то встревожен.

Марта, мать щенков, вела свой род от кавказской овчарки. Даже если в ее крови и затесались посторонние породы, то это наверняка были достойные, крупные особи, судя по Марте с ее весом около ста килограмм и силой, которой она славилась даже среди своих родичей. Триста лет тяжелейшей жизни сделали когда-то окультуренный вид свирепым хищником. Последние волки и менее крупные породы собак были отжаты в северный Крым еще сто лет назад, и теперь род, к которому принадлежала Марта безраздельно правил на Караби.

Только что легко, словно играючи, она загнала большого кролика, слегка придушила его зубами и несла к пещере своим щенкам, чтобы порадовать их живой и к тому же вкусной игрушкой, когда западный ветер донес до нее лошадиное ржание. Это встревожило ее, но не очень. Лошади последние годы поднимались из долин на Яйлу каждую весну и на все лето. Собакам лошадиный корм был ни к чему, а лошадей собачьи дела интересовали еще меньше. Правда поздней осенью, когда подступал голод и собаки сбивались в стаю, чтобы сообща охотиться за крупной добычей, между лошадьми и собаками случались настоящие сражения. Но сейчас лето. Караби-Яйла огромна. Места хватит всем.

Когда Марта подошла к своему логову немного ближе, чужой, очень опасный запах, принесенный западным ветром, заставил ее бросить добычу. Это был человек. Он опять поднялся на Яйлу и находится у ее логова! Многие поколения ее предков обходили человека, как самое злое и опасное существо в подлунном мире. Но Марта сейчас не уступит тропы. Человек выследил ее логово, и мать будет сражаться за своих щенят.

Крадучись против ветра, огромное животное скользнуло к пещере, беззвучно, словно дух смерти. Вот до человека осталось совсем немного. Собака легла в высокую траву. Прижав уши, поползла. До человека оставался всего один прыжок, и через мгновенье огромные челюсти...

Олежка поднял голову, посмотрел Марте в глаза, и сердце животного наполнилось незнакомой, огромной, как жизнь, радостью.

ПРИШЕЛ ХОЗЯИН. ПОРА ИДТИ ДОМОЙ.

ОБ АВТОРЕ

Разрешите представиться: Валерий Рогожников, спелеологическая кличка Рог (или Яныч). Будучи отцом киевской спелеологии, воспитал пару сотен «первопроходимцев». Вместе со своими воспитанниками мы открыли несколько глубочайших и красивейших пещер на территории бывшего СССР. Самую глубокую пещеру мира «Воронью» мои воспитанники и их друзья прошли на глубину более двух километров без меня, чем я искренне горжусь как учитель и завидую как спелеолог.

Биографическая справка.

Родился Валерий Янович Рогожников 11 августа 1942 года в городе Катта-Курган в Самаркандской области в эвакуации. С 1952 года Яныч живет в Киеве и считает себя киевлянином. Образование высшее. Геолог. Известен как спелеолог.

Литературной деятельностью Яныч начал заниматься уже в зрелом возрасте. Первый сборник «Крутые рассказы старого спелеолога» удалось издать в 1990 году.

В 1995 году издает учебник «Спелеотехника», в котором излагает свой взгляд на развитие техники прохождения пещер.

В 1995 году издает книгу «Тройной прыжок сквозь черное пламя». С тех пор не перестает писать, размещает свои произведения в интернете, издает книги. Это и повесть «Спасатель», детектив «И звери пожрут зверей», повесть «Несуразный Семеныч» и другие под благожелательным патронажем своего редактора Анны Агнич.

В 1996 году Яныч эмигрирует в Америку, где и проживает во Флоридс.

Валерий РОГОЖНИКОВ

Художественное издание

СВЕТ НА ДНЕ КОЛОДЦА

РАССКАЗЫ И СКАЗКИ

Спонсор выпуска – **Ольга Лукьянчук**
Компьютерная поддержка – **Людмила Лукьянчук**

Технический редактор *В. Паляница*
Корректор *Л. Цимбал*
Дизайн обложки *В. Поворозник*

Lightning Source UK Ltd.
Milton Keynes UK
UKHW020649290920
370728UK00014B/1248

9 786177 875023